MW00617244

H!SPANAS

INFLUYENTES

Mujeres que te **inspirarán** a **transformar** tu **vida**

Aurum 79
Books

Publicado por Aurum Books 79
Una división de Bridger Communications Miami - Florida

Este libro es una publicación original de Latin Diamond Group INC
Primera impresión: Noviembre 2021

Fotos de la autora: Kevin Santana @kevinandersonst
Peinado y Maquillaje: Margaret Esteves @Bellaconmargaret
Vestuario: Wateris Mayi @Mayifashionstyle

ISBN 978-1-7359231-6-1

Ricardo Mejía y Pablo Soler
Diseño por: DEKA, Eduar Colorado, Edición: Sigal Ratner-Arias
Proofreading: Sigal Ratner-Arias

Sigue a Latin Diamond Group IG @latindiamondgroup

Aurum Books 79 Síguenos
IG @aurumbooks79

TABLA DE CONTENIDO

BIOGRAFÍA

YANELI SOSA es presentadora de Televisión, Escritora, Life Coach certificada, conferencista transformacional Dominicana y Fundadora de la serie de libros Hispanas Influyentes.

Nacida en Moca, República Dominicana. Yaneli se graduó como locutora profesional de la escuela Nacional de Locución del Cibao y posteriormente estudió Comunicación Social en la Universidad Autónoma de Santo Domingo.

Yaneli Sosa inicia su carrera, en su país natal como presentadora en el programa "Vive tu Sexualidad," transmitido por la cadena Telefutura canal 23, y de allí en adelante tuvo la oportunidad de participar en diferentes programas y medios de su país, algunos de ellos: "Sabrina en

BIOGRAFÍA YANELI SOSA

Fin de Semana," de Color Visión Canal 9, "Leila Controversial" por CDN Canal 37, ¿"Que es eso de sexo?". de la Presidencia de la República Dominicana, "Sábado de Corporán" , y "Estrellas de la Tele" del programa "Mas Roberto".

En el 2012, la comunicadora decide dar el salto profesional en su carrera y se muda a la Ciudad de New York donde al poco tiempo, empieza a trabajar en varios programas de televisión como presentadora y reportera de: "El Cafecito", "La Hora" por Mundo Fox, "A otro Nivel" por Telemundo 47, " La Hora del Conductor " por Mega 97.9, "Al Ritmo de la Noche" por Canal América.

Durante el 2020 lanzó una edición especial de su programa de Tv vía Instagram " Desde New York Live" en su cuenta personal @yanelisosatv donde ha entrevistado a personalidades, artistas y Políticos de diferentes países. Eddy Herrera y Héctor Acosta (El Torito) son sólo algunos de los famosos que han estado en el programa.

Yaneli ha cubierto premios tan importantes como Los Latin Grammys Awards y los desfiles más importantes en New York " La gran Parada Dominicana del Bronx, Manhattan, New Jersey y el Desfile de la Hispanidad.

Yaneli sigue agregando valor a su comunidad a través de sus conferencias transformacionales en la ciudad de New York.

BIOGRAFÍA YANELI SOSA

PRÓLOGO

POR
LUZ MARÍA
DORIA

Yaneli Sosa no se quedó con las ganas. Este libro que comienzas a leer es el resultado de un proceso que llevó tiempo y esfuerzo, y que hoy es un sueño cumplido.

Siempre he pensado que conocer la realidad de las historias de éxito produce en uno el deseo de desacomodarse y comenzar a luchar por nuestro propio éxito.

Las mujeres que protagonizan este libro se atrevieron. Y gracias a eso cambiaron su destino.

Te invito a que tú hagas lo mismo.

Estoy segura de que, al pasar esta página, comenzarás a tomar acción y le regalarás a tu vida una historia propia que, como las que leerás aquí, un día también merecerá ser contada.

Luz María Doria, autora "La mujer de mis sueños", "Tu momento estelar" y "El arte de no quedarte con las ganas", y productora ejecutiva de "Despierta América" de Univision

INTRODUCCIÓN

POR
YANELI
SOSA

Con estas páginas te entrego la materialización de una idea que se convirtió en el propósito que ha movido mi vida por años y que hoy es un sueño cumplido.

Es un honor presentarte, a través de cada capítulo, las historias más íntimas de 25 "Hispanas Influyentes". Ellas son solo una representación de esas luchadoras, fajadoras, soñadoras, que caminan entre nosotros y con ellas llevan las huellas de una trayectoria marcada por sacrificios, dolor y superación.

En este libro no solo te contamos historias de mujeres que han logrado triunfar en el mundo del entretenimiento en cadenas de televisión tan importantes como Telemundo y Univision, mujeres que han revolucionado el quehacer

INTRODUCCIÓN

jurídico con inteligencia artificial creando un Robot Roberta que responde preguntas de inmigración y otras que han logrado con sus emprendimientos impactar y cambiar las vidas de miles. También contamos historias de mujeres que en este momento están rediseñando sus futuros, creando nuevos proyectos, empresas, lanzando nuevos productos... Saliendo de su zona de confort.

Y aquí estamos nosotras como una gran comunidad, como su grupo de fans número uno, apoyándolas y aplaudiéndolas en su proceso de crecimiento.

Ellas son mujeres como tú, influyentes. Sí, tú también lo eres. Absolutamente todos influenciamos nuestro entorno, ya sea de manera positiva o negativa. Solo que ellas han decidido crear su propio éxito. Han decidido ser "Hispanas Influyentes".

Durante muchos años, fui fanática de los libros de autosuperación y motivación por la transformación que generaban en mí cada vez que los leía. Siempre me imaginé lo interesante que sería encontrar una publicación que mostrara historias impactantes, en español, que fuera de fácil lectura como para leer en el tren, en una pausa del trabajo, en un parque en domingo, para tenerlo como libro de cabecera y que inspirara y motivara al lector a moverse al siguiente nivel en sus vidas, a convertirse en una mejor versión de sí.

Recuerdo a un primo que vivía conmigo y que siempre me veía con un libro en la mano. "¿Qué estás leyendo?, me preguntó un día. Le contesté que leía uno de los libros de Julio Bevione, quien es mi mentor además de uno de mis autores favoritos. Mi primo no era fanático de la lectura, pero verme siempre leyendo lo influenció a tal punto que hoy lee más libros que yo.

INTRODUCCIÓN

El poder de influenciar es hermoso porque podemos lograr cambios maravillosos en los demás, y este es solo un ejemplo de cómo podemos hacerlo. Yo, de manera personal, vivo muy atenta a todas mis acciones, especialmente delante de mi pequeño bebé Bill Ismael, que ahora tiene 14 meses y absorbe todo como una esponja.

"Hispanas Influyes" no se trata solamente de un libro. Pretendo que se convierta en un importante movimiento para aportar valor a nuestras mujeres a través de un contenido de calidad que promueva la inclusión social porque, juntas, somos más y hacemos más.

Dicen que "todos debiéramos escribir un libro antes de morir" y yo estoy de acuerdo con eso, o por lo menos un capítulo, pues las letras quedan para siempre y cada historia puede servir de guía para futuras generaciones.

¿Qué te parece si te digo que tú también puedes contar en algún momento tu historia y que ese momento es hoy?
Ahora te invito a que abras tu mente y tu corazón para recibir todo lo que Dios, el Universo o aquello en lo que tú creas tiene para ti.

Lets go! Pasa de página. Tu transformación empieza ahora...

NADIA
SANTOS
CAPITANA DEL EJÉRCITO USA ARMY
CEO DE GNJ REALTY GROUP

DOMINICANA - *QUEENS*

@REALESTATENY

1

MI CAMINO HACIA LA LIBERTAD

Imagínate levantarte conmocionada por una explosión estremecedora, como un gran terremoto que te despierta y no puedes ver nada, solo humo blanco, siluetas de personas corriendo de un lado al otro. Oyes llantos, gritos, estruendos, disparos... todo es confusión. Estás en un país desconocido y sospechoso de poseer armas de destrucción masiva. Pues ahí estaba yo, en medio de la Guerra de Irak, buscando mi camino hacia la libertad.

Mi nombre es Nadia Santos y soy dominicana. En 1995 emigré a Estados Unidos, un país con un sinfín de oportunidades, persiguiendo un futuro mejor.

NADIA SANTOS

Después de terminar la escuela secundaria me integré al ejército americano sin tener mucho conocimiento del idioma, pero eso no me impidió fomentar una relación profesional sólida con mi nuevo país y demostrar mi fuerte compromiso con él. Así que, con un gran sentido de respeto y responsabilidad, hice un juramento y comencé mi carrera militar.

Desde 1997 formo parte de las Fuerzas Armadas estadounidenses. Mi carrera comenzó en Fort Bragg, Carolina del Norte, donde me desempeñé como oficinista especialista en suministros y armadura de unidad en la 249ª Compañía de Intendencia. Después de terminar mi servicio activo en el 2001, y sintiendo que aún había mucho más que podía ofrecerle a mi país, decidí continuar mis servicios en la Guardia Nacional en Carolina del Norte, en la 1.452ª Compañía de Transporte de Combate HET. Además, me desempeñé como especialista en logística.

Aunque mi vida profesional estaba encaminada y cosechaba los frutos de mi perseverancia y compromiso, no pasaba lo mismo con mi vida personal. Cada día me sentía más atrapada y me invadía la tristeza y el temor.

Me encontraba en una situación fuerte de violencia doméstica con maltrato verbal y emocional y carencias económicas; no recibía ninguna ayuda de mi pareja, que solo se dedicaba a los videojuegos y a hacerme sentir mal y humillada.

Fue entonces que recibí la llamada de mi vida, una llamada que para algunos podría ser motivo de ansiedad e incertidumbre pero que para mí representó la posibilidad de cambiar mi vida. Era mi gran luz al final del túnel.

La llamada del 22 de diciembre del 2003 era del ejército

estadounidense requiriendo mis servicios en Irak. Aunque era madre soltera de un bebé de un año y tres meses, no podía negarme a servir a mi país y tampoco quería hacerlo; necesitaba una escapatoria para poner fin a una vida de maltratos y poder darle a mi hijo la estabilidad que tanto soñaba al lado de mis seres queridos.

A partir de ese día comenzó mi entrenamiento para ir a combatir con la unidad de 1452nd Combat HET Transportation Company, un entrenamiento exhaustivo donde te preparan física, mental y emocionalmente para lo que vas a enfrentar. Dos meses después, en febrero de 2004, siendo una de las primeras que mandaron a la guerra, me subí a ese avión llena de orgullo por ir a defender a mi país, y llena de valentía y optimismo con la esperanza de volver y rescatar a mi hijo, por el cual lucharía también.

La guerra no es algo sencillo. Te preparas para reaccionar adecuadamente en momentos de gran impacto, pero llega un momento en el que colapsas y yo colapsé no porque tuviera miedo, sino más bien por no tenerlo y por mi reacción ante las situaciones.

Recuerdo claramente mi primera experiencia impactante. Yo estaba acostada en mi cama y comenzaron a bombardearnos. Solo pude ver por la ventana cómo entraba una especie de humo blanco. Rápidamente me bajé de la cama, agarré mi armamento y mis botas y comencé a tomar el control de la situación, porque para eso te preparan y no puedes titubear. Muchas vidas dependen de ti. Haces lo que debes hacer prácticamente por inercia, sin pensar, y así lo hice. El nivel de compromiso y responsabilidad es tal que ya uno no ve el peligro.

El peligro se me hizo visible cuando uno de mis compañeros,

después de cumplir con sus servicios y ser despedido con gran alegría, fue interceptado en el camino de regreso y no llegó a la base que lo trasladaría a casa. Fue algo que logró impactarme porque él también tenía un hijo que lo esperaba, y el mío era mi gran motivación para volver.

Tras la agitación por ese acontecimiento, logré retomar la calma. En cierto modo uno se acostumbra. Expones tu vida día a día, pero ya es tan normal que no lo notas. Lo que te separa de la muerte son milésimas de segundo entre el proyectil de una bala y otro. Haces tu trabajo sin dar mayor importancia a los misiles que te pasan al lado, confiando que no te tocarán y que tus compañeros que despejan el camino serán lo suficientemente certeros para mantenerse a salvo. Realmente en ese momento éramos ignorantes a tantos peligros; no había vehículos blindados ni nos imaginábamos que los mismos niños serían usados como armas en contra nuestra. No sabíamos todo lo que nos tocaría vivir.

Luego de esa experiencia llegó el momento de volver a casa. Gracias a Dios pude regresar de manera segura, pero aún tenía otra misión por terminar, y era la que me había dado el coraje para enfrentar lo vivido: rescatar a mi hijo para liberarme de una relación en la que no era feliz y a la que estaba atada solo por él. Una vez que cumplí el tiempo necesario para poder pedir permiso para salir de la base, le pedí a mi supervisor 24 horas y utilicé ese tiempo para rentar un vehículo, sacar a mi hijo de la casa de su padre, conducir casi nueve horas hasta Nueva Jersey para dejarlo con mi madre, y repetir el mismo recorrido de vuelta a Carolina del Norte y llegar a tiempo para estar lista en formación.

A pesar del cansancio, era llegar al final del camino. Estaba feliz y satisfecha por haberlo logrado y aún sentía un gran deseo de servir a mi país. Entonces, en 2007, me alisté con la Guardia Nacional en Nueva Jersey y allí formé parte de la Compañía Química. Me convertí en teniente del Ejército de los Estados Unidos y, para el 2010, pude obtener una licenciatura en contabilidad en la Universidad de Kean.

En 2011 me trasladé a la Guardia Nacional del Ejército de Nueva York como líder del pelotón de distribución 2LT (segundo teniente) para el 69no Regimiento de Infantería y al año siguiente tuve otro gran logro profesional: me convertí en trabajadora autónoma y directora ejecutiva de mi propia empresa de bienes raíces. En 2016 fui asistente de logística S4 para el mismo regimiento de infantería como 1LT (primer teniente), y desde el 2018 hasta este año me desempeñé como oficial de transporte en el JTFHQ (Joint Task Force HQ). Actualmente soy capitana de operaciones de la 1179a Brigada de Transportación.

En 2010 fui reconocida por el Congreso de Nueva Jersey como la primera mujer hispana que llegó a oficial en la ciudad de Perth Amboy. Dos años después fui la primera mujer hispana oficial en una compañía de infantería en Nueva York.

Soy una madre orgullosa y feliz de haberle dado a mi hijo una buena educación, una vida llena de amor, armonía, buenos momentos y sin violencia. Soy también una maratonista, una hija que honra a su madre, quien ahora es su gran apoyo. En fin, soy una mujer que siempre busca la manera de lograr sus metas y una soldado inmigrante que siempre estará agradecida con los Estados Unidos por las infinitas oportunidades que me ha brindado.

BIRMANIA
RÍOS

PERIODISTA - PRESENTADORA DE NOTICIAS
PROFESIONAL DEL VINO, CANDIDATA AL NIVEL 3
POR WINE & SPIRIT EDUCATION TRUST

DOMINICANA-*NY*

@BIRMANIARIOS

2

ELIJO SER LA HEROÍNA DE LA HISTORIA

Dice un adagio que nunca sabes lo fuerte que eres hasta que ser fuerte es tu única opción. No hay nada más cierto. La fortaleza, la resiliencia, la capacidad de seguir adelante a pesar de los obstáculos, de levantarme después de la caída, han sido las habilidades que me han ayudado a salir airosa de cada situación.

Puedo decir que tuve una infancia feliz rodeada de mucho amor. Mis padres emigraron de República Dominicana a Nueva York cuando eran muy jóvenes. Fue allí donde se casaron y donde yo nací. Sin embargo, cuando yo tenía cuatro años, mis padres se divorciaron y mi madre decidió que Nueva York no era una ciudad para ella. Después de una breve estadía en Santo Domingo, decidió establecerse en Puerto Rico, donde transcurrió mi infancia y parte de mi juventud. No éramos ricas, pero gracias al esfuerzo y el trabajo arduo de mi madre, puedo decir que tuve una vida privilegiada de hija única. Estudié en buenos colegios y no carecí nunca de nada. Todos los veranos los pasaba en República Dominicana.

Cuando llegó el momento de ir a la universidad, elegí la carrera de comunicaciones porque sabía que quería decantarme por el área creativa. Me gustaba la producción y la televisión, pero no tenía muy claro qué rol quería jugar.

Finalizaba yo el asociado cuando me di cuenta de que, aunque era feliz en Puerto Rico, quería vivir en una ciudad que fuera tan grande como mis sueños. Fue muy duro separarme del cordón umbilical de mi madre, pero la decisión estaba tomada y me lancé a la aventura de mi vida.

Llegue a Nueva York a los 21 años con la idea de continuar estudiando, hacer una maestría o una especialidad y perfeccionar mi inglés. Sin embargo, la realidad de la gran ciudad me pegó en la cara tan fuerte como esa primera brisa fría de invierno que te congela hasta los dientes. Fui a la casa de mi padre, que no se mostraba muy contento de mi decisión. Tal vez le temía a la responsabilidad, o quizás se preguntaba cómo esta niña que nunca ha pasado trabajo se va a defender en una ciudad como esta. ¡Esa Nueva York en los terribles años 90! Todo indicaba que él quería que yo me regresara a Puerto Rico, pero yo no estaba dispuesta a dar un paso atrás y me dije: Birmania, de ahora en adelante te las vas a tener que arreglar tú solita.

Me fui a vivir donde una tía hasta que pude tener mi propio apartamento, que en un principio compartí con una amiga. Me tocó irme a trabajar en tiendas para poder cubrir mis gastos.

Un día, conocí a unas personas que hacían programas de televisión por cable y decidí ser parte de su equipo. En un principio mi trabajo no tenía nada de glamour; cargaba equipos, rodaba cables y ayudaba en lo que fuera a los presentadores. Pero un día me dieron la oportunidad y así comenzó mi carrera frente a las cámaras, en un programa llamado "Caribe Show".

En una ocasión me tocó viajar a República Dominicana con el equipo del programa. Estábamos en la playa de Boca Chica cuando de repente sentí un dolor punzante en la parte derecha de mi vientre que no me abandonó durante toda mi estadía. Cuando regresamos a Nueva York, el dolor ya era insoportable. Un amigo me llevó al hospital justo a tiempo para entrar de inmediato a la sala de operaciones; tenía una peritonitis aguda. A partir de ese episodio, cada éxito en mi carrera vino también acompañado de algún inconveniente de salud que terminaba en una sala de operaciones. ¡En total he estado siete veces en un quirófano!

Llevaba yo más de un año haciendo "Caribe Show" y ya la gente me paraba en la calle para decirme que admiraba mi trabajo, cuando tuve que interrumpir todo para someterme a una cirugía de extracción de un quiste en la laringe. Se suponía que fuera una operación sencilla. Sin embargo, al despertar de la anestesia tenía a un grupo de médicos a mi alrededor que me acababan de realizar una resucitación cardiopulmonar. Además de tener una convalecencia dolorosa, ya que hasta el agua que tomaba me dolía, también tuve que recuperarme de los moretones que dejaron en mi cuerpo.

Al cabo de un mes, cuando se suponía que ya estaba recuperada, descubrimos que el quiste había vuelto a salir y tuve que someterme a la misma operación de nuevo. Esta vez el médico me advirtió que la cirugía sería más invasiva y que podría lastimar mis cuerdas vocales, y afectar mi voz.

Entré tan aterrada a esa operación que por alguna razón la anestesia solo durmió mi cuerpo, pero yo estuve consciente y escuchando todo lo que se habló en el quirófano mientras me operaban. Es la peor pesadilla que alguien puede vivir. Afortunadamente todo salió bien y ya recuperada regresé a Nueva York y a mi programa del cable.

No pasaron muchos meses cuando un día me llamaron del canal 47 de Telemundo para hacerme una prueba porque necesitaban un presentador del tiempo para su noticiero. La hice y trabajé para ellos por aproximadamente dos años, hasta que me anunciaron que no renovarían mi contrato. Al cabo del tiempo logré entender que en esta profesión los contratos van y vienen, pero en ese momento yo sentí que era el fin del mundo y de mi carrera.

Incursioné en la radio. Era principiante y por lo tanto me tocó el peor de los turnos: los fines de semana de doce de la noche a seis de la mañana. Mientras mis amigos estaban de fiesta, yo estaba sola en una cabina complaciendo las peticiones que me hacían por teléfono los borrachos y camioneros. Por suerte no fue por mucho tiempo, ya que pude entrar como freelancer al canal 41 de Univision.

Siempre recordaré mis años en Univisión con alegría y agradecimiento. Tuve la fortuna de tener jefes que creyeron en mí y me dieron la oportunidad de crecer. Llegué como presentadora del tiempo y poco después fui reportera de asignaciones generales. Más adelante fui la conductora de un programa sabatino y luego pasé a ser la presentadora del noticiero matutino. Fue en esa época también cuando me salieron unos fibromas uterinos que comenzaron a darme problemas. Y como yo rechazaba la idea de otra cirugía, le di largas al asunto mientras los fibromas crecían.

Ya estaba yo casada cuando con dificultad quedé embarazada y, debido a los fibromas, mi parto por medio de cesárea fue uno complicado. Salí del quirófano con un nivel tan bajo de hemoglobina que querían hacerme trasfusión de sangre. Los fibromas seguían dentro de mi vientre.

Cuando mi hija tenía casi cuatro años, me ofrecieron el puesto de corresponsal en el programa de difusión nacional "Despierta América" y acepté. Poco tiempo después vino mi divorcio y con él una vida nueva como madre soltera, con todos sus inconvenientes. Fue por esa época cuando los fibromas comenzaron a provocarme hemorragias y con ellas vino una anemia crónica y la necesidad de operarme... una vez más. Estaba tan dañado mi útero que hubo que realizarme una histerectomía parcial.
Ya recuperada y reintegrada a mi trabajo, llegó nuevamente el amor a mi vida. Eran momentos de muchas satisfacciones profesionales y personales. Viajaba mucho y mi hija crecía hermosa, sana e inteligente. Pero una vez más tuve que someterme a una cirugía para extraer quistes de mis senos. Varios años después un tumor en el esófago afortunadamente benigno, pero tan grande como una toronja, me obligó a operarme otra vez.

En 2018, después de haber trabajado por casi 25 años en Univision, en una ola de despidos masivos por cortes de presupuesto perdí mi trabajo, y aunque no voy a negar que al principio fue duro y pasé días llorando, finalmente lo asumí con tranquilidad, incluso con entusiasmo. Lo vi como una nueva oportunidad de hacer otras cosas e iniciar proyectos que antes no podía.

Fui tan afortunada que comencé a trabajar como presentadora de NY1 Noticias solo los fines de semana, lo que me dejaba suficiente tiempo y libertad para sacar adelante otros proyectos. Supongo que no se sorprenderán si les digo que también fui víctima del COVID-19 y, aunque dejó secuelas en mi cuerpo, una vez más salí airosa y decidí seguir adelante con fortaleza y pasión.

En cada una de esas situaciones difíciles que me ha puesto la vida, yo he elegido ser la heroína de la historia. No me gusta el papel de víctima, todo lo contrario. Creo que los obstáculos y los fracasos sirven para aprender, para hacernos más fuertes, para ayudarnos a vencer el miedo, a tener coraje.

El coraje no significa que no vas a sentir miedo, sino que vas a triunfar sobre él y, cuando lo percibimos de esa manera, comprendemos que somos increíblemente poderosas.

BIRMANIA RÍOS

LOURDES
BATISTA JAKAB

COMISIONADA DE CULTURA DOMINICANA EN
NUEVA YORK - ESCRITORA - CONTABLE

DOMINICANA - *LONG ISLAND, NY*

@LOURDESBATISTAJ

3

HOY EXISTO

Era un día muy frío. Corría el 29 de diciembre de 1993 y había caído la nevada más grande de esa década. Ese fue el día que escogí para venir a Nueva York por primera vez. Le había dado largas al asunto de entrar a territorio norteamericano, pero ya en la primera semana de enero expiraban los 90 días que me había dado el consulado para viajar al recibir mi aprobación de residente permanente junto a mi pequeño hijo.

Mis padres habían iniciado los trámites de mi viaje años atrás. Llegué de Santo Domingo en un vuelo de American Airlines al Aeropuerto Internacional John F. Kennedy, con una maleta en la mano y mi hijo Ray de 3 añitos en la otra. Era una orgullosa madre soltera.

Mis hermanos, que vivían con mi madre en Long Island, NY, vendrían a recogerme. Mi vuelo llegó a las 4 PM, pero no llegamos a su casa hasta las 10; casi cinco horas en un viaje en auto que normalmente tomaría una. Solo pasé unos días en la casa de mi mamá. Mis padres están divorciados y mi papá me vino a buscar para irme con él a Providence, Rhode Island. Allí conocí ese mismo año a quien sería mi esposo y padre de mis hijos Ovalinne y Ray, Wellington, quien adoptó a mi primogénito como suyo.

Dos años más tarde nos mudamos a Long Island a instancias de mi hermana Luma. Ella quería abrir un restaurante y quería que nos asociáramos. El negocio no se dio, pero en cambio compramos otro de multiservicios, de esos de hacer envíos de dinero, llamadas telefónicas internacionales, ventas de tarjetas telefónicas y pasajes aéreos, muy populares en los años 90.

Siete años después me separé de mi esposo. Habíamos comprado casa y auto nuevo y solo me quedaban 300 dólares en una alcancía, pero pude salir adelante sola. Seguí pagando mi casa, mi auto y mis tarjetas de crédito. Yo había empezado a dar servicio de preparación de impuestos y llevar la contabilidad de pequeños negocios, pues eso fue lo que estudié, además de comunicación social, en mi país. En Providence trabajé escribiendo artículos y haciendo reportajes de investigación para algunos periódicos locales.

Más tarde conocí a través del Internet a un hombre que al principio parecía maravilloso. Él vivía en Miami y yo en Nueva York. Fueron conversaciones largas y kilométricas; literalmente vivíamos en el teléfono. Durante meses conversábamos, comíamos, hacíamos el amor, todo por teléfono.

Acordamos conocernos en persona en nuestra querida Quisqueya, y para allá viajamos a nuestro encuentro. Los primeros días fueron muy apasionados. Luego empezaron a surgir escenas absurdas de celos con mi exesposo. Las dudas me asaltaban: ¿Sería el hombre correcto al que unir mi vida nuevamente? ¿Me iría a vivir a Miami con él, o me quedaría en Long Island?

Aquí tenía una vida establecida, mi casa, mi negocio, mis dos hijos iban a una buena escuela; vivían mi madre y mi hermana cerca de mí. Al final mi hermana mayor me ayudó a despejar las dudas y me quedé en mi casa de Long Island. Además, él había perdido su trabajo en Miami, no tenía casa y había iniciado un proceso de divorcio con su esposa, según él mucho antes de conocernos. Así que él se mudó conmigo a Nueva York y al poco tiempo me embaracé. Ahí empezó mi calvario.

Las escenas de celos se volvieron más frecuentes. Compré otra vivienda, pues mi exesposo quería dividir los bienes adquiridos por ambos y deseaba que yo vendiera la casa, y así lo hice. Nos mudamos e inicié una nueva vida de horror. Mi padre falleció luego de sufrir durante dos años de una enfermedad en los pulmones, y antes de morir me pidió que me separara de este hombre.

Me refugié en la iglesia y al cabo de seis meses de morir mi padre me casé por lo civil con ese hombre y, presionada por la iglesia, tres años después por lo religioso. Ya había roto la sociedad que tenía con mi hermana mayor y monté un negocio de impuestos que manejaba desde casa. Al crecer la clientela, pedí un préstamo de 20.000 dólares con dos amigos e instalé mi nueva oficina fuera del hogar. Sabía que iba a duplicar lo que ganaba desde la casa y así fue, me fue muy bien.

Pero en la casa las visitas de la policía eran casi diarias. Fui a la corte familiar a denunciar los abusos emocionales por parte de mi esposo. ¡Me celaba hasta a mis hijos!

Con el sacerdote de la parroquia, donde ambos éramos muy activos y formábamos parte del comité hispano, estudié durante dos años teología y me gradué del Instituto de Formación Pastoral (PFI, por sus siglas en inglés). Buscaba la respuesta a mis problemas en la iglesia. Asistimos a retiros espirituales de pareja, psicólogos, psiquiatras. Lo llevé a la corte para que se tomara los medicamentos que le recetaron para la depresión, pero nada resultaba. Trató de estrangularme en una ocasión porque yo estaba en la habitación de mi hija mayor dándole de comer a nuestra bebita.

Siete años después de la muerte de mi padre, y después de prepararme emocionalmente durante dos años, fui a terapia, empecé a leer libros escritos por mujeres, tomé la decisión y me separé. Fueron meses muy duros y difíciles. Cuando él llamó a una amiga y le dijo que regresaría a Nueva York para matarme, fui a la policía a denunciarlo y lo arrestaron. Contraté a un abogado, presenté cargos en su contra en la corte penal. La juez le ordenó no acercarse a mí por ninguna vía, ni física ni electrónica. Inicié el proceso de divorcio y entonces decidí que ya era tiempo de dedicarme a mis sueños.

Desde niña había querido ser escritora, por eso decidí estudiar comunicación social en lugar de derecho. Al mes de separada, escribí un poema que es un grito de rebeldía y narra los deseos y reafirmación de empoderamiento. Más que un poema, es un himno de libertad de las mujeres y una denuncia del machismo.

HOY
Hoy se inicia el comienzo o el final de mi vida.
Hoy decreto ser una mujer libre.
Dejaré la esclavitud, romperé mis cadenas,

levantaré mi antorcha, acabaré con una década,
un lustro, un siglo de machismo patriarcal.
Hoy me lavaré el rostro.
Hoy borraré de un tirón las huellas de los años,
secaré las lágrimas con mis labios...
Hoy estaré arriba, y tendré un orgasmo,
encontraré mi punto G, y orinaré de pie,
maldeciré el síndrome PM
Hoy seré auténtica,
y no miraré el qué dirán.
Hoy, viviré mi vida.
Hoy existiré...

"HOY" se encuentra en mi primer libro de poemas, "En la soledad de mi cama".

En el 2012 inicié una campaña en contra de la violencia de género, junto a la cantante Susana Silfa, en universidades, estaciones de radio, televisión y prensa escrita en República Dominicana. Además, presentamos un concierto en Casa de Teatro y en el bar del Gran Teatro del Cibao. Dicté conferencias en universidades y en ferias de libros contando mi experiencia de mujer abusada.

Luego de hacer catarsis, empecé a dedicarme de lleno al trabajo cultural y a la literatura, además de mi negocio y el cuidado de mis hijos. Dos años después conocí a mi actual esposo, el doctor Robert Jakab, quien es neurocientífico y trabajaba en la Universidad de Yale, en el laboratorio de la facultad de medicina. Nos casamos a los nueve meses de conocernos. Dos años más tarde compramos la propiedad donde funciona nuestro negocio de contabilidad e impuestos. Robert se retiró de Yale y se dedicó a trabajar a mi lado. Me apoya en todas mis actividades, ya sean de índole laboral, político, social o cultural.

LOURDES BATISTA JAKAB

He publicado seis libros (tres de poemas, uno de cuentos y dos antologías poéticas) además de una producción musical titulada "Canciones solo para locos". En 2016 creé el movimiento de artistas y escritores de la resistencia que apoyó al candidato presidencial Luis Abinader, quien terminó ganando las elecciones en mi país.

El 25 de agosto del 2020 fui juramentada por la ministra de Cultura de mi país, Carmen Heredia, como comisionada dominicana de cultura en los Estados Unidos, posición que ostento en la actualidad.

El optimismo, la persistencia y la integridad son las cualidades que me definen como ser humano. En los momentos difíciles siempre tuve gran fe en Dios, que me levantaría de las cenizas, y he tenido la oportunidad de trabajar por mi patria desde lo más alto: la cultura.

LOURDES BATISTA JAKAB

EVELYN
SOSA

MENTORA DE NEGOCIO ONLINE ,SPEAKER

DOMINICANA-*NY*

@EVELYNSOAP CEO @EVESCOACHING @EMPRENDEDORASDEEXITO

4

DEL DOLOR A LA REINVENCIÓN

A inicios de mayo del 2020 me comenzó un dolor en la parte lateral del muslo izquierdo. Ya habían pasado unos días y el dolor seguía cada vez más fuerte; sentía la pierna acalambrada todo el tiempo. Acababan de darle de alta de mi esposo unos días antes por un coágulo que encontraron en su pierna y subió a sus pulmones, llevándolo a cuidados intensivos. Por tal razón, decidí ir a emergencia y descartar que no se tratara de lo mismo. Debido a la pandemia los hospitales solo estaban atendiendo emergencias reales, y por suerte me vieron rápidamente. Me hicieron un ultrasonido, pero no encontraron nada. Me dijeron que podía ser algo muscular.

Seguían pasando los días y el dolor me estaba preocupando porque a veces también me dolía la espalda. La realidad es que desde el 2017 me ha estado molestando la pelvis y en enero del 2020 el dolor no era en la pierna izquierda sino en la derecha. O sea que ya estaba familiarizada con dolores fuertes, pero en esta ocasión no mejoraba con ningún tipo de calmantes.

Decidí visitar otro grupo médico y les insistí que quería profundizar. Habían pasado tres meses y para entonces ya estaba cojeando. Me refirieron para hacerme un MRI (imagen de resonancia magnética) y los resultados arrojaron que tenía una hernia discal protuberante entre el L2 y L3 la cual me estaba presionando el nervio ciático (el nervio más grande y largo del organismo; pasa por la espalda baja, la parte posterior de la pierna y llega hasta los dedos de los pies). La ciática es un problema común en mujeres embarazadas; la había sufrido antes, pero jamás como ahora.

En ese tiempo yo estaba trabajando mucho en mi tienda virtual; me tocaba ordenar la ropa largas horas sentada en la computadora, recibir las cajas, desempacar, planchar, hacer las historias, preparar las órdenes de los clientes, ir al correo y una larga lista de etc. Era un gran trabajo realmente y con todo el dolor que estaba manejando me era imposible continuar sin ayuda. Pensé contratar a alguien, pero en tiempos de COVID nadie quería visitas en su casa. Yo tenía todas las puertas cerradas. De todas maneras, seguía trabajando. El doctor me había dado varias opciones: tomar antiinflamatorios, inyectarme relajantes musculares, hacer terapias, inyecciones en mi espalda y, por último, cirugía. Escogí las primeras opciones, pero nada cambiaba mi cuadro.

Hasta que las terapias poco a poco me fueron aliviando pasaron los meses y yo seguía vendiendo como podía. Un día, al agacharme para recoger unos tiros de unas carteras que estaba promocionando, me lastimé la espalda de tal manera que sentí cuando el nervio me haló. Intenté pararme y hacerme la fuerte, pero la pierna izquierda me tambaleaba. Fui y me encerré a hacer una oración. Le pedí a Dios que esa recaída no me impidiera volver a caminar. Tuve miedo de quedar inválida porque el dolor fue muy fuerte, tanto que no me podía parar. De hecho, pasé varios días en cama. Retrocedí en mi recuperación y me sentí peor que antes. Yo he dado a luz parto natural sin anestesia y pensé que había sentido dolores fuertes en mi vida, pero ese dolor estaba envuelto de impotencia, desesperanza y tristeza. Fue ahí cuando me topé con la realidad de que yo tenía una situación delicada que requería atención y cuidado, porque de lo contrario terminaría postrada para siempre.

Fueron días muy difíciles. Yo, que siempre he sido tan independiente, no podía ayudar a mi esposo en nada en la casa, ni sentarme en el piso a ver una película con mis hijas, no podía hacer mi emprendimiento que tanto amo. Siempre tratando de tener la casa en orden, me tocó soltar todo, incluso el negocio, el cual era nuestro único medio de sustento porque mi esposo no estaba trabajando luego que le dieron de alta. Pero Dios permite los procesos con dos propósitos: formar nuestro carácter y fortalecer nuestra fe. Tuve que aprender que, si yo no estoy bien, nada a mi alrededor lo estará. Que mi fuente de sustento no es un trabajo, es Dios, y que a Él nada lo limita. Tuve que soltar las cosas que amaba para recibir otras que también amaría y que me darían mejores resultados sin esforzarme tanto.

Yo he atravesado pruebas a lo largo de mi vida y ha sido por el tema de la salud y del dolor. Pero no le doy permiso a mi estado de ánimo a decidir el curso de mi vida o de mis sueños. Aunque a veces la realidad es que, cuando las pruebas nos golpean, no tenemos cabeza para intentar aprender lo bueno dentro de lo malo. Es un tiempo de duelo interno o de reconocimiento de que no somos súper poderosos(as) y que cuando tienes miedo a las opciones del médico nos queda la confianza en Dios. Y déjame decirte querido(a) lector(a), prefiero mil veces aferrarme a las promesas de Dios que a las palabras de un hombre.

Recuerdo que sin poder moverme de la cama motivaba a mi grupo de Emprendedoras de Éxito y las exhortaba a echar adelante su negocio independientemente de cómo se sintieran, porque yo con todo y dolor tenía ánimos de seguir con mi emprendimiento, pero no podía porque el cuerpo no me lo permitía. Mi mente estaba activa en trabajo, pero mi cuerpo no. En Proverbios 18:14 la Biblia dice: "El ánimo del hombre soportará su enfermedad; mas, ¿quién soportará el ánimo angustiado?". A veces es peor estar desanimados que estar enfermos. Y muchas veces tenemos una situación de salud y nuestro ánimo nos ayuda a vencer o nos traiciona.

Yo siempre he sido muy activa, pero gracias a este proceso he valorado más el poder caminar, respirar, oír, moverme. A veces damos las cosas por sentado o creemos que siempre todo va a funcionar, aunque le demos un mal uso a nuestro cuerpo. Y como mujeres emprendedoras, amas de casa, esposas, estudiantes, empleadas, etc., nos olvidamos de nosotras mismas, de nuestra salud mental y física. Por eso nos sobrevienen de repente enfermedades o depresión.

Mujer, entiende que no eres de hierro. ¡DETENTE! Ponle atención a tu cuerpo, a tu mente y a tu alma. Debemos aprender a mantener el equilibrio en nuestra vida y siempre dejar un espacio en la agenda para el descanso, la reflexión, la oración, para disfrutar con la familia tiempo de calidad, porque muchas cuando han querido ha sido tarde o el diagnostico no ha sido esperanzador. No creas que la hernia discal ha sido lo único con lo que he tenido que lidiar. Después de ese problema me declararon hipertensa; el dolor del cuerpo me provoca que se me eleve la presión, además de otras situaciones emocionales que he estado viviendo. Y por esa causa entré en el 2021 en un periodo de pánico y ansiedad.

¿Que pasó después conmigo? Volví a hacer fisioterapia; llevo más de un año intentando mejorar para no tener que operarme. Sigo orando, bajé de peso, he ido a quiropráctico, a acupuntura, a una psicóloga y sigo trabajando en mi vida de forma integral. Me alimento mejor, me ejercito cada vez que puedo. Me he dado por vencida muchas veces, pero vuelvo y avanzo confiada en las promesas de Dios. Ya lo dije: yo no me muevo sin la dirección de Dios sobre mi vida. Ya lo he intentado todo, ahora mismo dependo de Él.

No sé si para cuando leas este libro yo esté sana, pero quiero dejarte la recomendación de que, cuando hayas intentado todo y no te queden más esperanzas, Dios sea tu ayuda. Él nunca llega tarde y durante el proceso siempre te fortalece y se glorifica.

Te cuento que desde la cama Dios me dio ideas creativas y revolucionarias con las que he hecho crecer mi negocio y mis finanzas. Como ya no podía vender ropa, pues no podía hacer esfuerzo físico, me tocaba ser estratega, trabajar con la mente. De ahí salió Optimiza tus Redes, una agencia donde trabajamos las redes sociales de negocios virtuales para ayudarles a vender y crecer. Del proceso salió Tiempo para mi Podcast, que es la plataforma por la cual les comparto una palabra motivacional o espiritual cada mes. También salieron varios cursos importantes de Evescoaching que han tenido gran aceptación. El programa Emprendedoras de Éxito se afianzó y ha dado muchos frutos. Tuve que aprender a hacer limonadas con los limones que no pude salir a vender. Y a pesar de que ha sido el peor momento de mi vida, también ha sido el año de mayor aprendizaje, libertad financiera, cuidado integral de mi cuerpo, alma y mente.

He aprendido a vivir. ¡He aprendido a pasar del dolor a la reinvención!

EVELYN SOSA

YURISEL
FERNÁNDEZ
CANTAUTORA - ENFERMERA

YURISEL
YURISEL
FERNÁNDEZ

CUBANA-*CUBA*

@LATIN_SWEET_GIRL

5

ALAS PARA MUJERES

Ámate!   ¡Conócete!   ¡Acéptate!
¡Supérate!

Allá por la década de los 90, sin pretensiones y por imitaciones, comenzó a gustarme el arte. Sí, a mí, a Yurisel de la Caridad Fernández García. Era una niña cubana, hija de una madre que, aun separada y en pleno Período Especial (situación de crisis económica) en La Habana, nunca frenó mis deseos de estudiar o mi pasión por lo que me gustaba. Alentó infinitamente mi interés por el baile y el canto, siempre con el deber como principal objetivo.

YURISEL FERNÁNDEZ

Como cómplice tuve a entrañables instructoras que en horas extra fueron perfeccionando lo que creían de bueno había en mis piernas y mi voz, que no paraban de creer ser Selena, Juana Bacallao o Laura Pausini.

Veía la tenacidad de mi diminuta y humilde familia: madre licenciada en Educación Primaria, hermano licenciado con Título de Oro en Educación Física, y yo, soñando con el arte. Dudé, pero batiendo alas siempre volaba y logré tener su apoyo.

Soy insistente y mi refrán favorito: "El que persevera, triunfa".

A los 8 años mi progenitora, nuevamente queriendo que alzara vuelo, me inscribió en la Asociación de Danza Española Rosalía de Castro. Generalmente con compañeras de tez clara, yo, la negra, demostré con mis pases de nivel que el arte no entiende de color de piel, solo del deseo lo pone de manifiesto.

Creyendo ser águila y elevando mi vuelo, me presenté a una convocatoria en Tropicana; horror y misterio. ¿¡Quién era yo — empírica, autodidacta, sin estudios del arte, con separación entre las piernas según ellos y pelo crespo y corto — para tan alta aspiración!? Aun con una altura de 1,65 metros en aquel entonces, ese fue el impedimento que pusieron. Tenía entonces unos 18 años.

De la Compañía de Baile del Teatro América casi llego a ser parte de forma permanente, pero el split central no lo lograba y, a pesar de estar en otras presentaciones, casi me cortan las alas definitivamente. ¡Pero no! Ahí estaba nuevamente el autor de mis días y mi ángel negro, mi hermano, con su apoyo incondicional.

De mi padre la verdad no puedo hablar mucho, pues por

desgracia muy poca atención le prestó a mi niñez. Pero conocí a bellas personas que nuevamente me ayudaron a lo largo de mi vida. "El que nace para violín, del cielo le cae la cuerda".

Perteneciendo al proyecto "Ruedas de Casino" del municipio Marianao, bailé en la Televisión Cubana en el programa "Para bailar Casino", donde llegué hasta las semifinales, y se dejó escuchar mi voz en emisora de radio cubana con el grupo de Román Román y los Sensacionales, con quienes viajo por las nubes y me realizo por casi dos años.

¿Soñadora? ¡Claro!

A la par con el mundo del arte, estudié en la Facultad de Enfermería Lidia Dice y me gradué como enfermera especializada en cuidados intensivos. Con una tía estomatóloga y otra que es enfermera intensivista, sentí la inclinación por esta profesión tras ver lo tanto que ellas hacían por salvar vidas. No había entrado en una escuela oficial de baile o canto, así que opté por esta carrera en el área de la salud.

Trabajé y continué estudiando computación, idiomas... ¡Qué felicidad! Pude comunicarme, modestamente y con algo de miedo, primero en italiano, con tiempo en inglés.

Siempre continué bailando. Encontré un grupo de baile callejero (breakdance), o más bien una familia. Aventuras, los pa' abajo (fiestas callejeras), vivencias de amor... imposible olvidar esta etapa. Bailar en lugares reconocidos, otros no tanto.

Sobre el 2012 dejé de ejercer como enfermera. Me encontraba entre dos aguas que saciaban mi sed: el arte y la salud. Pero decidí seguir mis sueños y dejar las noches en vela, dejar de ver esos ojitos que querían agradecer, a personas que dijeron adiós en silla de ruedas y regresaron caminando a abrazarnos. Dije adiós queriendo mejorar incluso económicamente, ya que acá en Cuba no es bien remunerada la profesión de enfermería. Es hermosa, pero se trabaja con vidas y en mi caso con pacientes críticos.

¿Recuerdan que les comenté anteriormente que mi padre apenas se ocupó de mí en la niñez? Siempre fui independiente, pero a los 19 años, por cosas de la vida, me tocó vivir con él y la responsabilidad de una casa. ¿Le tuve rencor? No, ¡cero! Finalmente tuvimos una relación de armonía y recibí apoyo de su parte.

Me encanta la cocina, principalmente la repostería. "Music, poet and crazy" (músico, poeta y loca), me dicen mis compañeros, pero en momentos de grabación degustamos mis dulces creaciones.

Tengo dos tesoros en mi vida: mi esposo, que con su apoyo incondicional y constante hace que mis alas se nutran con plumas más fuertes, y nuestro bebé, que desde los 2 años canta y toca las claves, su tambor de madera (un banco) y su batería (de lata). Con estos dos últimos cantó conmigo un tema para un challenge en Instagram llamado "Un millón", y así obtuve mi primer premio monetario en redes sociales. (Puedes encontrarme en Instagram como @latin_sweet_girl).

Cuando mi hijo ya tenía un año y asistía al círculo infantil, continué mi trabajo en la Empresa de Telecomunicaciones de Cuba (ETECSA), comenzando en el 2014. Entre mi horario laboral y mi curso de inglés no tenía mucho tiempo para el baile, pero sí comencé a vincularme como pude nuevamente en el arte, cantando.

YURISEL FERNÁNDEZ

Durante la pandemia de coronavirus, comenzando a desarrollar mi proyecto musical al unísono, decidí aprovechar las redes sociales para darme a conocer como cantautora. Horas de estrés y de gastos tratando de conectarme a Internet para entrevistas que nunca pudieron hacerse realidad, encuentros online que no se concretaron por no tener acceso a esas páginas o por mala conexión y engaño de los que siempre quieren aprovecharse. Pero al final, trabajando con ahínco, grandes logros y ayuda internacional e incondicional me empujan para remontar mi vuelo y no desvanecer, porque hombres y mujeres han tendido sus manos para que mis éxitos sean también suyos.

En la actualidad puedo mencionar, entre muchos otros logros, la creación de mi Proyecto Alas, una iniciativa sin fines de lucro en defensa de la mujer con la que espero llegar a los barrios y lograr el rescate de valores. También está mi victoria en el Festival de Aficionados que realiza ETECSA todos los años, donde mi amiga Lissette Benítez y yo obtuvimos el primer lugar como dúo; una mención honorífica en el festival Afro Unidad 2021 de Panamá, y una nominación en el Festival Cuerda Viva 2021. Asimismo, lancé los sencillos "Reencuentro", "No soy una cualquiera" y "No al Sexismo", una canción que nace de mi frustración ante el acoso y las injusticias en base al género.

Y es que no puedo obviar las vicisitudes que afronté ante las críticas desmedidas de muchos varones. Ya casada, con un hijo, te textean muchos hombres. Hay muchos prejuicios sexistas; pretenden cercenar tus aspiraciones.

Pero también conocí a varios hombres que en vez de interesarse en mí como mujer se interesaron en mi arte y mi talento. Desde entonces han estado ahí pie con pie, y gracias a ellos también he avanzado en este mundo tan hermoso y complicado a la vez. Siempre les agradeceré su apoyo.

YURISEL FERNÁNDEZ

Falta mucho camino por recorrer, pero en estos momentos en que mi música ha llegado a oídos internacionales a través de redes sociales y el apoyo de promotores y DJs en países como Panamá, México, Chile, Perú, Estados Unidos y Argentina, deseo seguir trabajando. Lucharé también para que se escuche en mi país, sí, no se asombren. Ha sido más difícil que me escuchen aquí, pero sigo enfocada.

Soy muy selectiva con mis amistades; las decepciones han marcado mi vida. Pero el ímpetu para derrotar la energía negativa siempre está presente. Las féminas hispanas somos abnegadas, hecho que está más que demostrado a través de la historia.

Lo más difícil para mí ha sido llevar más de un estudio y trabajo a la vez, aunado a los quehaceres del hogar, siempre sacando fuerzas y comprendiendo que con sacrificio y constancia se logran más metas. Sé que ustedes lo lograrán si se lo proponen. Me siento orgullosa de poder contar mi historia, que aún no termina. Yo seré quien decida su final, si me rindo o si continúo luchando por mi sueño, el arte, que para mí es una necesidad. No tuve el privilegio de ir a una escuela de arte, quizá comencé muy tarde, pero la verdad pienso que "Nunca es tarde si la dicha, es buena".

Batan sus alas mujeres, vuelen en busca de sus sueños, no sean prisioneras de sí mismas.

Será mejor luchar toda una vida por lo que anhelas y ver resultados en el camino, que sentarte a pensar qué hubiera pasado en tu destino.

YURISEL FERNÁNDEZ

AIDA
JUSTINIANO
BALCÁZAR

LIC. COMUNICACIÓN AUDIOVISUAL

BOLIVIANA-*BOLIVIA*

@AIDAJUSTINIANOBALCAZAR, FUNDADORA DE @LATAMLACORP Y @MARKETCREATIVO.COM.BO

6

NACIMOS PARA TRASCENDER

Quienes han tenido la oportunidad de hablar conmigo o escucharme en alguna charla, saben que "propósito" y "trascender" son dos palabras recurrentes en mi vocabulario. Realmente creo que todas las mujeres hemos nacido para trascender a través de nuestro propósito. Pero, ¿cómo lo descubrí? La respuesta es: equivocándome.

Si bien hoy la audacia y fortaleza son mi bandera, hubo un tiempo en el que la fragilidad y la inseguridad se apoderaron de cada milímetro de mi existencia, hasta el punto del colapso.

AIDA JUSTINIANO BALCÁZAR

Nací en una familia tradicional, con dos padres que empezaron de abajo y trabajaron duro para triunfar. Tuve cuatro abuelos de los que aprendí grandes lecciones y primos con los que compartí grandes momentos.

Sin embargo, debo confesar que desde pequeña fui una niña caprichosa, de carácter fuerte, hiperactiva, traviesa, dañina e ingenua, pero también creativa y con ojo para los negocios.

Con el tiempo aprendí que tenía cualidades positivas que podía explotar para hacer el bien, pero también un lado oscuro que por un periodo de tiempo provocó que el caos se apoderara de mi vida, sacando a flote mi peor versión.

Recuerdo haberme quemado las pestañas con un encendedor a los cinco años y recuerdo haberle cortado la ropa y el pelo a un puñado de familiares en diferentes ocasiones. Pero también recuerdo haber salido a vender una cajita de mangos cosechados en la casa de mis abuelos paternos en el campo y recuerdo haber hecho pulseras con unas piedras rojas que brillaban, sacando a flote mi lado más calmado y emprendedor.

El bien y el mal, mi mejor y mi peor versión, vivían en mi interior en dulce caos, pero aquel equilibro era frágil: una pequeña bomba de tiempo emocional que me afectaba a mí y a quienes estaban a mi alrededor en el momento del estallido.

Lo que produjo la explosión en mí fue el divorcio de mis padres. Desde su separación, me volví una persona vulnerable, depresiva, manipulable, insegura y aún más caprichosa. Su ruptura, aunada a la figura de un padre autoritario al que buscaba complacer, forjó en mí una persona que siempre buscaba aprobación.
En ese momento tan frágil de la adolescencia y al mismo tiempo tan crucial, aunque siempre me dieron todo lo que necesité y

me apoyaron, no recibí de mis padres palabras afirmativas que me ayudaran a encontrarme, a valorarme, a hallar mi propósito y a desarrollar una personalidad segura y una autoestima inquebrantable. Por el contrario, me convertí en una persona tóxica. Las mentiras, la inseguridad y los complejos eran pan de cada día.

Me sumí en un torbellino de emociones que derivaron en una depresión de 12 años y en cinco intentos de suicidio. Siento que todas esas veces Dios me habló para darme nuevas oportunidades, pero yo no lo escuchaba; estaba muy ocupada reprochándole, en lugar de estar dándole las gracias.

Probé con antidepresivos, pero nunca busqué ayuda profesional. Tampoco se la pedí a mis padres buscando no dar más problemas. Cometí el error de no ver mi depresión como una enfermedad.

Por aquellos años no sabía quién era y, por supuesto, tampoco sabía cuál era mi propósito. Atravesaba una crisis existencial. Una especie de laberinto del que no encontraba salida y en el que tampoco encontraba respuestas.

Necesitaba una pausa en mi vida. Creí que, alejándome de mi realidad, se irían las dificultades.

Al terminar la carrera de Comunicación Audiovisual viajé a Brasil. Me fui huyendo de mis problemas, creyendo que los dejaba atrás, en mi Bolivia natal. Pero en realidad los problemas viajaban conmigo, porque los problemas no eran externos, el problema era yo.

Regresé a los pocos meses tal y como me había ido, aunque confieso que ese pequeño escape me permitió poner las cosas en perspectiva y organizar mis prioridades. Ayudar a la gente era una de ellas, por lo que busqué un trabajo que me acercara a esa meta. Fue en el colegio cuando me di cuenta de que lo que me gustaba era ayudar a la gente, pero no sabía cómo hacerlo. Había momentos en lo que me cuestionaba cómo podía ayudar a alguien más si yo necesitaba tanta ayuda.

Oré a Dios para que me permitiera encontrarlo, porque me sentía muy frustrada, y lo hizo.

Conocí el programa Familias Poderosas y ahí empezó mi búsqueda intensa de identidad. Ese trabajo me permitió reencontrarme con Dios y aquel momento estuve más cerca de Él de lo que había estado en años. De alguna extraña manera su presencia me daba claridad y me permitía sanar.

Desde que Dios entró a mi vida tuve la fuerza para curar mis inseguridades, mis miedos y mi depresión. Fue la medicina definitiva y mi guía en el camino de la vida.

En ese tiempo decidí formarme como coach y fue allí cuando encontré mi propósito empresarial: quería dedicarme a ayudar a otras mujeres a encontrar el suyo y a liberar su potencial.

Desde joven me había gustado aconsejar a mis amigas y arrimar el hombro para resolver sus problemas, pero el caos que había en mi vida no me permitió ver mi propósito durante mucho tiempo. Cuando tuve la paz que solo Dios brinda a nuestros corazones, su luz iluminó mi sendero.

Mi proyecto de vida se fue alineando el 2015. Con mi formación como coach empecé a dar conferencias en universidades para poder llegar a los estudiantes en esa etapa tan desafiante, en la que a mí me hubiese gustado que alguien más me orientara.

Ahí me di cuenta de que había una necesidad más sentida en la mujer, porque en cada conferencia había un puñado de mujeres que se acercaban a conversar o buscando ayuda. Esto reafirmó mi propósito.

Dos años después, en el 2017, un amigo me planteó la posibilidad de hacer un evento motivacional para mujeres tras haber escuchado una de mis charlas universitarias. Ese año nació ¡Stop! Solo Chicas, la marca de eventos y charlas orientadas a empoderar a mujeres tanto a nivel personal como profesional.
En ese primer evento tuvimos a 400 participantes y me sorprendió ver que aquella necesidad que yo había palpado era tan grande y evidente.

Decidí enfocarme en ese nicho y hasta el día de hoy, no he dejado de trabajar por el empoderamiento de la mujer ni un solo día de mi vida, aunque el camino ha sido desafiante y lleno de transformaciones.

¡Stop! Solo Chicas tuvo una serie de eventos exitosos en diferentes ciudades del país, pero aunque el éxito fue inminente en términos de convocatoria y concurrencia, me vi desbordada por una deuda económica que pronto me obligó a reestructurar la empresa y el modelo de negocio.

En el proceso de reestructuración me di cuenta de dos aspectos fundamentales: el primero, que la empresa era mucho más que solo conferencias para mujeres; el segundo, que trabajando en equipo llegaría más lejos.

En medio de aquella metamorfosis, encontré socias en las que podía apoyarme y con una visión que enriquecía a la empresa, dando paso a La Corporación: una marca empresarial que engloba eventos, ferias, cursos online y e-commerce, diseñados para empoderar a las mujeres y liberar su potencial.

Aunque en un principio la idea era montar una empresa tradicional, la pandemia nos obligó a reinventarnos una vez más convirtiendo a La Corporación en una empresa digital. Eso sí, cimentando siempre nuestra filosofía y visión en principios cristianos.

Hoy empieza a caminar con sólidos pasos, de la mano de Dios, y en poco tiempo hemos empezado a ver los frutos del esfuerzo, trabajo y dedicación que ha puesto nuestro invaluable equipo humano.

La Corporación es un trabajo arduo, pero como mencioné anteriormente, siempre fui inquieta y negociante. Haciendo gala de esas características, estoy en constante movimiento y buscando siempre nuevos proyectos, aunque siempre con el foco puesto en la mujer.

De esa forma, en los últimos meses he estado trabajando en mi primera colección de moda femenina sustentable y también en mi primer libro; un libro autobiográfico y de autoayuda.

Muchas veces vemos o leemos historias de éxito y creemos que el camino es fácil. Esto se ha potenciado con el poder y visibilidad que otorgan las redes sociales, en las cuales constantemente estamos sometidos a ejemplos de vidas "perfectas", ya sea de los famosos o de nuestros amigos.

Las redes nos muestran una realidad distorsionada, ajena al dolor, al esfuerzo y al sacrificio. Nadie se toma una selfie para Instagram en su momento más vulnerable.

Creo que lo importante de compartir mi historia con ustedes, lectores, no es hablar de mis aciertos ni de mi éxito sino, ante todo, hablar con ustedes de mis lecciones más grandes, de mis luchas, de mis fracasos y de mis errores, porque de ellos he aprendido y con ellos he crecido.

Me gustaría que cuando alguno de ustedes esté por rendirse, cuando alguno de ustedes se sienta frustrado, triste o enojado, en primer lugar piense en Dios y en segundo lugar, piense en esta historia. Porque estoy convencida de que, si yo pude sobrellevar mi lado más oscuro para poder brillar, ustedes también podrán.

La Biblia tiene un lado de pruebas donde Dios nos muestra la guerra, el dolor y el sufrimiento, pero también tiene un lado luminoso, lleno de vida, fiesta y resurrección. Me gusta pensar que los humanos somos como la Biblia, que detrás de la profunda oscuridad en la que a veces nos sumimos, hay un rayo luminoso aguardando para hacernos brillar.

No duden nunca que cada uno de nosotros nació para trascender. Pero tampoco olviden que vivimos en comunidad y caminamos en manada, y que ese camino no debe ser transitado en soledad, más bien en compañía.

Por eso hoy reconozco el apoyo y amor de mis padres, de mi hermano, de mis mentores y de mis guías; personas que caminaron el trayecto conmigo aun cuando mi vida era una penumbra, y sin quienes no hubiese tenido la fuerza para lograr mi propósito.

ALIX
SANDOVAL
EMPRESARIA CEO

COLOMBIANA-*MIAMI*

@FACCYALLCEO @FOREVERUS.JY

7

DIOS,
MI GUÍA

A mis 24 años tuve a Juanita, mi primera hija. El matrimonio con su padre no funcionó y a esa edad debí enfrentar un divorcio y lo que esto conlleva con una pequeña niña. A pesar del dolor, yo estaba preparada; papá se había encargado de enseñarme a ganarme la vida.

Unos meses después, me mudé con ella de Bogotá a Medellín a gerenciar un negocio de salud del cual no sabía nada. Tenía un reto y este era si podía ser capaz de sacar adelante una empresa sin experiencia en una ciudad que no conocía.

ALIX SANDOVAL

Nunca he temido tomar riesgos. Siempre prefiero averiguar qué pasaría asumiéndolos.

Una noche estaba en Medellín comiendo con un amigo que se iba para Canadá y de repente, cuando parpadeo, veo todo negro… imágenes de mi vida pasan por delante de mis ojos… solo escucho un pito ensordecedor y no puedo levantarme.

Mi nombre entre el ruido se entendía a lo lejos… ambulancias y gritos y yo sin poder levantarme. Trataba, pero tenía el brazo izquierdo atravesado y enredado en el suelo por el guardabarros del carro bomba que acababa de explotar.

Finalmente me logran quitar un cuerpo de una joven que estaba sobre mi pierna y me sacan el brazo con el pedazo de lata incrustado. Me convertí en una víctima más de la violencia de mi país. Ese sería el comienzo de lo que marcaría mi vida para siempre.

Después de dos cirugías en el brazo y terapias muy dolorosas para recuperar la movilidad de la mano, pues me negaba a quedar con ella casi inservible a mi corta edad, empecé a ir a un psicólogo a trabajar mi trauma del incidente. Pensaba que si oscurecía y estaba en la calle iba a explotar algo. Pero dentro de mí sabía que tenía que superar ese miedo y es así como decido dos años después volver a ese lugar… para enfrentarlo.

Un tiempo después conmemoraban la fatídica fecha de la bomba del Parque Lleras, y decido vincularme a una fundación para ayudar a las víctimas de la violencia como yo a hacer valer sus derechos. Como abogada, era algo que sentía que debía hacer.

Tal vez el estar al borde de la muerte me hizo querer vivir más rápido, pues pensaba que en cualquier momento todo podía acabar.

Me volví a casar y tuve dos hijos varones. Sin embargo, la relación terminó años más tarde y tuve que volver a empezar de nuevo, con el peso de un fracaso adicional.

En ese momento estaba sola completamente, asumiendo mis errores. El panorama era desalentador: una mujer de 40 años, divorciada dos veces con tres hijos, sola en una ciudad nueva, Barranquilla; sin trabajo y sin empresa, pues con mi traslado mi socio en Medellín decidió quedarse con todo.

Así que me tocó volver a empezar de nuevo. Cogí fuerza y sin un peso en el bolsillo, pero con inteligencia y ganas de salir adelante, creé una pequeña corredora de seguros. Debía viajar en bus por horas a los pueblos a hacer las pólizas, y fue así como logré levantarme de nuevo. Mi hija, entonces de 16 años, debió encargarse no sólo de sus estudios sino también de la casa y de sus hermanos, de 11 y 5.

Con el cambio de gobierno, los negocios se empezaron a acabar y de nuevo nos encontramos en una situación económica crítica. El estrés me hizo enfermar y caí en cama por seis meses; mis riñones colapsaron en este tiempo. Recuerdo que mis hijos llegaron a ir al colegio con los tenis rotos, pues teníamos escasamente lo necesario para vivir. Fueron días muy difíciles.

Buscando mejorar mi salud con un tratamiento médico que no cubría mi seguro, conocí a mi actual esposo, Juan K., quien ofreció hacérmelo en su unidad renal.

Luego de esto pasé tres meses en cama por la infección y empezamos a hablar por WhatsApp. Sin conocerme, él estuvo pendiente de mí al punto que iba a mi casa a dejarme mercado para mis hijos. Era el hombre que le había pedido a Dios por mucho tiempo y Dios estuvo allí.

Finalmente, Juan K. y yo pudimos encontrarnos en persona. A pesar de que Dios me había llamado muchas veces antes, solo en ese momento empecé a entender que estuvo cuidando de nosotros. Nuevamente sufrí una quiebra y tuve que volver a comenzar, pero esta vez lo haría diferente, teniendo a Dios como guía y en primer lugar.

Un día, de rodillas, le dije que no sabía qué hacer, que me diera algo para vivir, que ya estando enferma a veces con fiebre muy alta era más difícil todo. Y Dios me respondió: días después, el que es hoy mi suegro me entregó un producto para las manchas que funcionaba increíblemente: ácido glicólico.

No sabía qué hacer con él, pues yo soy abogada, jamás había tenido algo para la piel en mis manos. Pero después de varios días de oración, entendí que ese era el maná que Dios me había enviado para sacar adelante a mi familia.

Así que empezamos mi hija, Juan K. y yo a leer todo lo que podíamos sobre piel, a entender cómo funcionaba este negocio, y desarrollamos una fórmula a la que agregamos vitamina C, aloe y ácido mandélico.

Juanita, mi hija, me dijo que era importante tener el producto en redes sociales pero yo no creía mucho. Sin embargo, ella utilizó la que era mi cuenta personal de Instagram y puso una foto mía con la cara manchada y después sin manchas. Así fue como la gente que me conocía empezó a pedirnos el producto. El problema es que teníamos solo uno y no teníamos plata para producir más.

Logramos conseguir 100 dólares americanos y con eso iniciamos lo que es hoy Faccyall. Con esa plata mandamos a hacer varias muestras a un laboratorio que en ese momento nos ayudó. Mi hija diseñó la marca y empezamos vendiendo 15 frascos. Vendíamos, ahorrábamos y volvíamos a hacer producto. Era poca la ganancia, pero en nuestra mente estaba crecer, esforzarnos y perseverar.

Empezamos a visitar spas y centros de belleza por toda la ciudad. Con el tiempo, la gente me empezó a preguntar si vendíamos al por mayor.

Así nacen las distribuidoras de Faccyall. Actualmente son 50 en Colombia, Estados Unidos, Puerto Rico, Ecuador y Panamá.

Una vez que posicionamos el Faccyall Tonic, empezamos a crear nuevos productos: jabón de carbón, serum de vitamina C, crema de agua, aloe, exfoliante, Sky para el cabello, gotas Sublime para el crecimiento capilar y acabamos de lanzar un protector solar... Todo un reto, pero lo logramos.

Teniendo la empresa posicionada y trabajando de la mano de una de las influencers más importantes de Colombia, Mabel Cartagena, empezamos a ir a eventos a lo largo del país y a patrocinar maquilladores extranjeros y nacionales en sus giras. Cuando todo iba maravillosamente comencé a recibir amenazas por hacer parte de una fundación y ayudar a las víctimas de la violencia en sus procesos de recuperación de tierras. Ya había recibido antes amenazas, pues estas tierras eran de grupos al margen de la ley de mucho poder en Colombia, pero por primera vez sentí miedo de verdad... Miedo de que le hicieran daño a mis hijos.

Recibí una llamada para informarme que había llegado una

corona de flores con mi nombre a la fundación. Y mi madre hacía varios días me estaba diciendo que hombres en moto paseaban por el frente de su casa.

Justo en ese momento, Juan K. me dice que me ama y que quiere casarse conmigo, pero que él tiene un llamado, una palabra que Dios le dio años atrás que tiene que cumplir. Me dice que quiere casarse conmigo, pero que debemos vivir en Estados Unidos. No sé cómo describir lo que sentí en ese momento. Quería gritar, correr, meterme en un hueco. No entendía por qué de nuevo las cosas empezaban a dañarse.

Días después me casé con Juan K. y pensé, bueno, este es el hombre que Dios puso en mi vida, él tiene que obedecer. Yo pensaba que el llamado de Juan K. era algo en su corazón, jamás imaginé que fuera real, así que no pensaba cumplir con venirme a Estados Unidos. Pensé, eso se le pasa. Pero las amenazas se hicieron más y más recurrentes, al punto que un día empacamos seis maletas en 30 minutos y salimos del país.

Dejamos todo como estaba porque, después de varias denuncias incluso ante presidencia, pensamos que todo iba a mejorar. Pero no fue así.

De repente, otra vez me tocó volver a empezar ya no en una nueva ciudad sino en otro país. Con 44 años, tres hijos y un esposo nuevo.

La incertidumbre era una constante, pero mi esposo decía "yo tengo una palabra, Dios nos trajo aquí, todo va a estar bien". Así que, a control remoto, continué manejando Faccyall desde Miami.

ALIX SANDOVAL

NEYVI
TOLENTINO
ABOGADA DE INMIGRACIÓN

DOMINICANA *-ESPAÑA*

@NEYVITOLENTINO CEO @TOLENTINO_ABOGADOS

8

UNA HISTORIA AL REVÉS...

Soy Neyvi Tolentino, fundadora y actual CEO de Tolentino Abogados, inmigrante que salió por primera vez de la República Dominicana con 22 años sin haber viajado a ningún otro lugar, con muchos sueños en apenas una maleta.

Hace 14 años que hice de España mi hogar. Según mi curriculum soy abogada de profesión, pero los que me conocen saben que es la vía para hacer que mis metas sean posibles, y estas podían afectar a muchos, incluso a ti: quiero que todo inmigrante tenga los mismos derechos que cualquier nacional en cualquier lugar.

NEYVI TOLENTINO

Mi nacionalidad es dominicana; soy de una pequeña isla en el Caribe a la que se llamó hace 500 años "La Española". Y como segunda nacionalidad, adquirida por residencia tengo la española, un recorrido que no duró cinco siglos, pero es mi historia personal.

Llegué a España a estudiar sin estar segura de que el mundo del derecho fuera mi meta. En un mundo de constantes cambios, aprendí a adaptarme, a caerme y levantarme muchas veces, perfilando con ello la firma que hoy lidero.

La Neyvi Tolentino que llegó a España no sabía bailar, conducir, esquiar, cocinar, bucear... Estos son algunos de los muchos otros conocimientos que adquirí mientras empezaba a convertirme en empresaria.

Buscando fórmulas de éxito, en varias ocasiones puse todas mis esperanzas en empresas de venta piramidal que ocuparon mi tiempo y que me hicieron saborear el fracaso. Cuando las cosas dejan de funcionar abruptamente y se convierten en problema, uno busca soluciones. Fracasar se dice de muchas maneras, pero quizá necesitemos mayúsculas sostenidas para que quede grabado a fuego: SIEMPRE SE PUEDE FRACASAR.

Me tocó asumir el fracaso en muchas temporadas que ahora recuerdo como base de este camino, un camino cargado de historias...

Cena con el presidente de la República Dominicana:
Aeropuerto de Madrid-Barajas, 17 de abril de 2021

Llego de nuevo a casa en Madrid, aterrizo apenas unas horas antes de cenar con el presidente de la República Dominicana. He dejado en Punta Cana a mi familia para venir a esta cena auspiciada por la presidencia, tomando un vuelo para una corta estancia de 48 horas, pero con la tranquilidad de que mi familia está en el proceso de vacunación, cuando apenas se reparten las primeras vacunas en Europa.

¿Por qué me siento tan segura y tranquila con lo que vendrá en los próximos minutos? ¿Ha sido un cúmulo de casualidades, o no quedaba más remedio de que ocurriera antes o después?

Mi recorrido profesional, y mi aparición en la portada de Forbes República Dominicana y las páginas de Forbes Latam, son los responsables de este suceso.

Forbes Portada:
Madrid, 11 de agosto de 2020.

Suenan las notificaciones de mi móvil. La edición dominicana de la prestigiosa revista Forbes me ha hecho portada de su edición agosto 2020 por el recorrido profesional y la manera tan innovadora en que estamos transformando y siendo parte de la disrupción jurídica. Es el año de la pandemia.

El desarrollo y crecimiento en el área tecnológica con Robot Roberta nos pone en la mira de todos. Otras revistas que incluyen elDinero.com, T-Magazine LA y Gente Empoderada se hacen eco, con artículos de portada y tendencia.

No puedo creerlo, entre 100 historias de mujeres poderosas de República Dominicana y Centroamérica soy la portada. Primero voy corriendo a decírselo a Pablo, mi pareja y padre de mi hijo; confirmo la noticia con las encargadas de la entrevista y se lo hago llegar a mi padre. Pronto, medios de comunicación de República Dominicana, Nueva York y algunos países de Centroamérica comienzan a solicitarme entrevistas.

Por más de dos meses tengo entrevistas diarias. Mi padre se hace un espacio en las redes sociales para comentar con orgullo todas las publicaciones. Nadie podía prever su muerte en los días siguientes, pero quizás sí que sus últimas palabras fueran de orgullo por su hija.

Su último post en Twitter: "Comparto, el sentir de padre orgulloso, de la formación de su(s) hijos, ella es Neyvi mi primogénita, que pone en alto el sentirse dominicano".

¿Cómo fueron posibles estas portadas?

El regalo
Madrid, 2019

Ha llegado mi primer hijo, el mismo día del aniversario de boda de mis padres. Treinta y siete años después de su matrimonio, abrazo a mi primogénito. Fue un parto que parecía que iba a ser fácil y se complicó a último minuto porque el bebé venía con el cordón umbilical alrededor del cuello. Mientras me anestesiaban solo pedía despertar y encontrarlo en mis brazos. Fue el momento más oscuro. Tiempo después descubriría, en el 2020, que tengo un niño con autismo.

Netexplo
Madrid, diciembre del 2018

Estoy embarazada, en estado avanzado, de mi primer hijo. Pero ya he tenido también mi primer robot, llamado Roberta. Roberta nos sorprendió ganando el premio absoluto en Netexplo, celebrado en la Cámara de Comercio de Madrid. Una empresa de formación que ayuda a implantar la cultura digital necesaria para lograr la transformación digital en empresas y organizaciones. Las apuestas por la tecnología poco a poco van dando frutos y abriéndose camino.

La primera vez en Forbes

Siempre hay una primera vez en la vida para todo. La revista Forbes República Dominicana dedica una sección a promesas dominicanas en el exterior, en la que estoy incluida: "30 promesas de negocios del 2017". Apenas empezaba y estaba apostando por el reto de la tecnología, creando una nueva disrupción en la abogacía.

Estoy liderando un cambio en el mundo del derecho que pasa por las nuevas tecnologías, en particular por la robótica y la inteligencia artificial. En no muchos años, el mundo del derecho no se entenderá sin la tecnología, como ya ha pasado con la medicina.

Everis an NTT DATA Company
Madrid, marzo del 2017

La empresa Everis se encarga de liderar programas de transformación sostenible. Hace apenas tres meses que el Robot Roberta entra en mi vida y es la primera vez que empiezo a entender el ámbito de la tecnología y su aplicación al mundo del derecho. Nos lanzamos y quedamos en la semifinal (10 elegidos) de entre 2.000 proyectos de Latinoamérica que concursaban.

Roberta
Madrid, diciembre del 2016

Tengo tres empleados y me quedo sola por razones diversas. El despacho empieza a crecer, pero yo estoy sola, decreciendo. Un momento muy difícil en el que me planteo dejar el camino de la abogacía y cerrar el despacho. Revolución tecnológica completa a lo que he venido haciendo hasta ahora. Cambio mis conceptos clásicos de la forma de trabajar, para automatizar e incluso decidir por los datos y no por las intuiciones.

Soy abogada de profesión y uno de los cambios que me catapultó a la disrupción en el mercado jurídico, fue el entender cómo usar la tecnología como un elemento más del equipo, introduciendo un nuevo concepto de trabajo que es un Robot. Entendiendo al Robot, no como elemento móvil sino como un sistema capaz de emular parte de las formas de trabajo de los humanos o potenciando las capacidades de estos. La empresa que hoy dirijo no solo me plantea problemas técnicos sino filosóficos y humanos en la implementación de la tecnología. Muchos desarrolladores no están acostumbrados al concepto de Robot, y además nos encontramos con la barrera del equipo humano que pone objeciones a su uso pensando que van a ser sustituidos por máquinas. Estoy aprendiendo acerca del liderazgo efectivo. De esta situación y su solución comienza mi relación con la Inteligencia Artificial.

Primeras revistas
En el 2016, las revistas Santo Domingo Time y Asoprotec en España comienzan a hablar de mis pasos en el extranjero, nueve años después de haber llegado.

Pero al final del 2016, me planteé seriamente el cierre del despacho. Las cosas empezaron a fallar y me quedé sin empleados, no sabía cuál sería mi siguiente paso. Sentí que había fracasado. Creía que era la hora de regresar a República Dominicana, sin saber todo lo que me esperaba a raíz de este cambio.

NEYVI TOLENTINO

Despacho
Madrid, septiembre del 2012

Empiezo a crear y darle forma a Tolentino Abogados. Comencé en Business Center frente al Estadio Santiago Bernabéu, un despacho que renté por horas ya que no podía pagarme una oficina en horario completo.

Antes de llegar a Tolentino Abogados, mi primera empresa se llamó Estudiando en Madrid, una compañía que constituí con la idea de poder quedarme en territorio español, de manera regular, sin perder la oportunidad de poder ser contratada. Esa primera propuesta de ser autónoma se amplió y así nació Tolentino Abogados. Las ideas en origen siguen, pero dirigidas a un público más amplio.

En el Business Center estoy apenas un mes; empieza a crecer la confianza entre los clientes y me mudo a la zona de Plaza de Castilla. Ya tengo un horario completo, comparto oficina con otros tres letrados, y mi área de trabajo era el archivo que convertí en una pequeña oficina. Contrato a mi primera secretaria y es la primera persona que me enseña que el camino de empresaria no será muy fácil... En mis horas fuera del despacho, cuando estaba en el juzgado, ella cobraba a mis clientes en su cuenta personal. Al despedirla, tuve que cumplir obligaciones de trabajo que no había cobrado.

En el 2014, ya puedo inaugurar mi primer despacho. Al año siguiente, vuelvo a crecer y cambiar de oficina, y así cada año (sí, ¡cada año!). Aprendí a ahorrar y no tomar préstamos. Los beneficios de la empresa los percibía por seis meses por delante, para protegernos de cualquier caída o "pandemia" y poder aguantar.

NEYVI TOLENTINO

En el 2021, Tolentino Abogados es un despacho de 300 metros cuadrados en la misma torre de Plaza Castilla donde empecé. Tenemos nuestra primera sucursal en Benidorm y somos 20 personas que forman parte de esta pequeña empresa. Cuando llegó la pandemia, me di cuenta de que nos estuvimos preparando sin saberlo todos estos años; no tuvimos que hacer ningún despido, ni cerrar. Seguimos creciendo y aprendimos del teletrabajo.

Estancia en España
Madrid, 2007

Llegué a Madrid con mi estancia de estudiante, mi primera beca y muchas ganas. En casa no había medios económicos para poder enviarme mensualidad para sostenerme en España. Logré conseguir una beca de manutención para pagar mis gastos justos, así que no podía permitirme otros placeres. Terminé haciendo tres masters en este país (en el Instituto de Empresas, en la Universidad Complutense con otra beca local que logré gestionar, y por último, antes de ejercer la carrera, en el Ilustre Colegio de Abogados de Madrid), haciendo tiempo para que mi estancia fuera válida y pudiera aplicar y tener una residencia que me permitiera trabajar. Si me preguntas para qué me sirvieron tantos estudios, ahora puedo ver la evolución.

Estuve en dos despachos de abogados contratada. En el primero, empecé a trabajar en el área mercantil y no entendía nada, lo que me llevó a pensar que me había equivocado de profesión. El segundo me sirvió de escuela para el desarrollo de Tolentino Abogados: descubrí la extranjería y que esa área del derecho necesita un cambio. ¡Encontré mi pasión!

NEYVI TOLENTINO

Estudios IE
Santo Domingo, verano del 2007

Durante dos semanas completas fui con mi papá al Ministerio de Educación todos los días, con la esperanza de que nos permitieran ver a la ministra. Cada día nos retiraban, pero siempre estaba la esperanza del día siguiente. Había solicitado una beca para ir a España a estudiar en el Instituto de Empresas. Opté a la beca en esta universidad al tener un índice superior, pero solo dan cinco cupos y apenas cubren el 30% de lo que cuesta el máster. Para mí era un sueño poder acceder al máster de la Universidad IE, pero superaba con creces mis capacidades económicas. Necesitaba la beca para lograrlo.

Mi padre lo veía muy difícil, pero cada mañana me acompañaba para que no echara la batalla sola. Después de 15 días, pudimos coincidir con la directora saliendo, y sólo tenía 3 minutos para exponer las razones por las cuales yo era la candidata correcta. Mi expediente entró al comité de evaluación y lo logramos. En España me otorgaron otro crédito para poder pagar el resto de mis estudios.

Estancia en Inglaterra
Londres, 2006

La primera vez que salí de la República Dominicana tenía 22 años y un título de abogada bajo el brazo. Quería empezar a especializarme y encontré un camino en una escuela en Londres, estudiando inglés jurídico. Mi madre apoyó este proceso y nos metimos en un crédito educativo de 3.000 euros (era una locura y mucho dinero para nosotras). Toqué muchas puertas (amigos y familia) y nadie firmaba como nuestro garante, hasta que el novio de una amiga lo hizo junto a mi madre.

Busqué trabajos de limpieza o camarera para poder sostenerme mientras aprendía el idioma, pero nunca me llamaron. Las cosas no salieron como lo había idealizado. Antes de llegar, hice una escala en España y tenía que volver por mi maleta, pero solo tenía una oportunidad de entrada, ya que no tenía más visados.

Estudios Universitarios
Santo Domingo, 2000-2005

Acabé el bachillerato con 17 años. Si quería entrar a una universidad privada, ya estaba advertida por mi padre que debía costear yo misma los estudios. Así que tenía que trabajar y estudiar a tiempo completo para pagarme la Universidad Católica de Santo Domingo. Salía de casa a las 7:00 AM, trabajaba de 9:00 a 5:00 en el Intec (Instituto Tecnológico de Santo Domingo), iba a la universidad de 6 a 10 y retornaba a casa a las 11:30 PM todos los días. Así fue por cuatro años consecutivos. El último semestre empecé a tomar clases los sábados para hacer la tesis y culminar la carrera a tiempo y con una mención honorífica.

Empecé también a aprender idiomas los fines de semana en las tardes. Soñaba con viajar.

Lloré muchas veces en el camino de regreso a casa. Temía que nada de eso sirviera para encontrar el destino que anhelaba. Vivía en un barrio muy pobre de Santo Domingo afectado por la delincuencia, en la zona Los Cerros de Sabana Perdida, y estaba echando la suerte con los estudios. Mis amigos de la Universidad Católica no daban crédito que pudiera vivir allí las pocas veces iban a visitarme.

NEYVI TOLENTINO

Estudios en el colegio
Santo Domingo, 1988-2000

Aprendí a leer con 4 años y en un solo día. Cuando ingresé en la escuela, ya sabía leer. Cuando mi madre cocinaba me sentaba en un banco a su lado, e iba pronunciando los textos del libro "Nacho". Desde que tuve 5 años, hasta los 17, estudié en la misma escuela: un instituto de monjas exclusivamente para señoritas, el Politécnico Virgen de la Altagracia, en una de las zonas más deprimidas de la ciudad. Me mudé muchas veces, pero nunca me cambiaron de escuela.

5 años
1986

A la edad de cinco años, la maestra llamó a mis padres a contarles que yo le hablé a mis compañeras de un documental que había visto y les dije que viviría en Europa. Mi padre sólo respondió: "Neyvi siempre vive soñando, nunca tiene los pies en la tierra..."
Es una frase que mantuvo hasta que fui la portada de Forbes y él falleció.
Gracias, papá, por darme un camino por el que luchar y volar.

Frase:
"El tener unos orígenes humildes en un entorno sin posibilidades no es la razón por la que no puedes conseguir tus metas, el creer que no puedes hacerlo es suficiente para fracasar".
Neyvi Tolentino | tolentinoabogados.com

GABY
GUZMÁN
COMUNICADORA-LIFE COACH

DOMINICANA-*PARÍS*

@GABYGUZMANOFFICIAL

9

¿EN QUÉ MOMENTO ME PERDÍ?

La mujer soñadora

Era el 29 de abril del 2011, llegaba la noche y ahí estaba yo, junto a mi madre, mi hermano y mi novio. Me graduaba de la universidad y justo al final de la ceremonia recibí una llamada. Era mi sobrina mayor.

"Es para decirte que el ministro firmó la carta que le enviaste y tu petición fue aprobada".

GABY GUZMÁN

Me quedé fría pendiendo del hilo de la felicidad por un ciclo que terminaba y otro que apenas vislumbraba comenzar.

Recuerdo que tenía 13 años cuando, a puertas cerradas, escribí en mi diario rosado de princesa que algún día tendría un programa de televisión. Pero, ¿es que acaso el UNIVERSO se había tomado la molestia de responder a mi petición? ¡Lo creo firmemente!

Estoy convencida de que los pensamientos son descargas de energía, imanes que atraen hacia nosotros las fuerzas, las personas y las circunstancias que hacen que nuestros sueños dancen en el viento hasta despeinarse.

¿Quién lo iba a imaginar?

Un espacio de televisión en un canal nacional y dos almas sedientas por crear y comerse el mundo.

Así traje al mundo a mi primer bebé: un programa de televisión dedicado a destacar los atractivos turísticos de mi isla, la República Dominicana.

Ahora miro hacia atrás y agradezco tanto ese privilegio, esa oportunidad. El milagro de haber acunado aquella idea que nos hizo experimentar el temor de presentarnos ante un cliente, la incertidumbre de saber que teníamos un contrato que no admitía excusas ni falta de motivación. Manejar las circunstancias era la única opción en nuestras manos y a eso le apostamos TODO. Incluso hasta aquello que pensamos no tener.

Hicimos cientos de propuestas, tocamos cientos de puertas, no teníamos ni siquiera una cámara de grabación en los primeros meses, y sin embargo la vida me susurró y me regaló la mejor de las enseñanzas: "Puedes conseguirlo TODO, es POSIBLE CREAR DESDE LO INVISIBLE".

Y así fueron llegando los clientes, los contratos, las oportunidades, los equipos, las facilidades; la seguridad, la confianza en mí y en mi trabajo.

Hoy quiero honrar esa etapa de mi vida y reconocer a cada una de las personas que me sostuvieron para que yo avanzara hacia mis sueños.

Mi deseo de libertad para crecer

Todo nació como un deseo de conocer, de descubrir nuevas experiencias, de saber cómo sería vivir fuera de mi país por un tiempo. Claro, aunque a veces me quejaba, nunca pensé en residir en el extranjero de forma definitiva.

Quería crecer, tomar decisiones, y no les voy a mentir, quizás hasta vivir algún romance lejos de casa. Quería hacer una maestría, pero sobre todo estaba resuelta a hacerme cargo de mí.

Sin embargo, nunca pensé que esta experiencia iba a requerir que prácticamente "naciera de nuevo".

Llegué a París el 19 de noviembre del 2017. Un cielo gris me daba la bienvenida mientras la lluvia helada desnudaba mi nostalgia.

Las verdades de la migración

Emigrar supone un proceso muchas veces desconocido para quienes se lanzan a la aventura. Muy pocos inmigrantes están al tanto de lo que conlleva el duelo migratorio.

El duelo migratorio es el proceso de elaboración de pérdidas asociadas a la migración. Para explicarte mejor, digamos que se podría comparar a la pérdida de un ser querido.

Sin embargo, el duelo migratorio podría llegar a ser un proceso más fuerte que el antes mencionado, dado que dentro de este el inmigrante ha experimentado siete duelos:

    Duelo por la familia y los seres queridos
    Duelo por la lengua
    Duelo por la cultura
    Duelo por la tierra
    Duelo por el estatus social
    Duelo por el grupo de pertenencia
    Duelo por la seguridad física

A diferencia del duelo por la muerte de un ser querido, el duelo migratorio es un duelo parcial porque no hay una desaparición física. En la migración hay una separación entre tiempo y espacio del país de origen, pero esta puede ser reversible.

El duelo puede ser recurrente porque va y viene cuando nos toca ponernos otra vez en contacto con su cultura.

¿A quién no le ha pasado que luego de ir a su país de origen siente deseos de no regresar? También es posible que después les cueste volver a tomar el ritmo en el país de acogida.

A mí en particular me cuesta recuperar el horario de sueño y volver a mi estilo de vida.

Pero, ¿se terminaría el duelo si decidiera regresar a vivir a mi país?

El regreso de un inmigrante constituye en sí una nueva migración. Como bien describe Pablo Neruda: "Nosotros los de entonces ya no somos los mismos".

Entonces, ¿será que viviré con esta nostalgia para siempre?

¡Eso depende de ti! De hacerte consciente de la importancia de elaborar un duelo migratorio adecuado.

De lo contrario, el duelo migratorio podría quedarse con los frutos de la migración, y en lugar de significar "progreso" podría desencadenar en otros tipos de problema.

Emigrar pone a prueba nuestra resistencia, nos hace confrontar nuestro sistema de creencias.

¡Tú no quieres el éxito! Parece contradictorio, pero es una realidad.

A veces no estamos dispuestos a tomar una decisión de vida que nos rete.

Si miramos a nuestro alrededor podremos darnos cuenta de la cantidad de adultos con sueños perdidos. Hemos dejado en el camino aquellos anhelos que nos hacían suspirar.

¿En qué momentos nos perdimos?

Generalmente los adultos perdemos nuestros sueños cuando empezamos a tomar decisiones desde nuestro niño interior herido e incomprendido.

Es entonces cuando requerimos que el adulto se haga responsable porque éste es quien tiene el poder personal.

El niño interior está cómodo en la tristeza, en el no sé, en el no puedo y en el no soy suficiente.

Salir del estado de la niña o el niño perdido es una decisión de vida.

A quienes nos ha tocado emigrar se nos despierta el niño interior herido con todo su ímpetu, reclamando que nos hagamos cargo de él.

El duelo migratorio potencializa todas nuestras heridas emocionales y por eso he optado por compartir mis vivencias al respecto. ¡Sí! Por supuesto que es posible superar el duelo migratorio y generarse felicidad sin importar el país en donde nos encontremos. Sin embargo, este es un largo camino que requiere apoyo y mucha empatía.

La decisión de emigrar cambió mi vida.
Mis grandes lecciones lejos de casa.

Comprendí que soy absolutamente responsable de mi felicidad.
Que nadie me debe nada ni yo le debo nada a nadie, pues la honra y la gratitud hacia las personas que amo las expreso sin apegos.
Que los demás valen por su calidad humana, no por su raza, posición social o económica.
Que a veces es importante irse lejos para entonces reconocer los tesoros que siempre han estado a tu lado.
Que la comida de tu mamá, el tiempo que pasas con tus hermanos y las atenciones que te dispensan son milagros que recibes a diario.
Que un día sueñas con que París sea tu casa y al otro darías lo que fuera por pasar unos días en el campo.
Que la mejor forma de amar a los demás, es dejándolos que sean lo que quieran ser.
Que intentar salvar a otros, o cambiarlos, te quita el tiempo y las energías que necesitas para crecer.
Que soy demasiado valiente y no me había dado cuenta.

Nunca pensé que esta experiencia me sacaría tantas lágrimas para entonces convertirme en la mujer que siempre quise ser.
¡Emigrar sugiere una nueva manera de ser!

Cuando intentamos crear esa nueva manera de ser a partir de lo que conocemos o de aquello que asociamos con "felicidad", lamentablemente vamos a querer que todo coincida con aquella lista de experiencias que hemos guardado como recuerdos.
Nada va a poder competir con los recuerdos y momentos de

aquellos tiempos en nuestra tierra.

Cuando buscamos adaptarnos, pero vivimos en una eterna comparación entre lo nuevo y aquello que "sacrificamos", es como si nos estuviéramos castigando.

Lo que más podría apoyarte es honrar el pasado y empezar a ver la migración como una nueva experiencia.

Hazlo ahora, porque dejarlo para LUEGO fácilmente puede convertirse en NUNCA.

El momento es AHORA.

Todo lo que sucede es lo que necesitas para ser feliz.

Aceptar no significa ser indiferente, ni resignarse. Aceptar implica una profunda sabiduría de por qué y para qué pasan las cosas.

Fuentes:

Celia Arroyo, psicóloga especializada en duelo migratorio.

Joseba Achotegui, psiquiatra.

"La inteligencia migratoria: Manual para el inmigrante en dificultades", de Joseba Achotegui.

EMELYN
BALDERA
PRESIDENTA ACROARTE-PERIODISTA
PRODUCTORA

DOMINICANA - *REPÚBLICA DOMINICANA*

EMELYN

BALDERA

EMELYN

@EMELYNBALDERA

10

UNA MUJER DECIDIDA

Yo creo que si hay una palabra que define mi historia como mujer es la palabra decisión.

Nací en Santo Domingo en una familia para la cual el trabajo, la honradez y el respeto tenían un significado especial, pero más aún el compromiso y la Fe.

Mis padres, María Ramona Rodríguez y Antonio Baldera Sánchez, se conocieron en la iglesia, trabajando como cristianos comprometidos. Mi padre, oriundo de Nagua, y mi madre, de Bonao, se casaron con la ilusión de formar una hermosa familia, pero antes debieron pasar grandes pruebas como una pareja trabajadora, hijos de campesinos.

Mi padre era un hombre cien por ciento trabajador. De una bicicleta, pudo ir cambiando su estatus como resultado de mucho trabajo, adquiriendo primero una motocicleta, luego un carrito. Así, fue poco a poco creciendo, enseñándonos que sólo con el esfuerzo y el trabajo se puede echar adelante. Fruto de su entrega pudo llegar a tener su propia compañía.

Mi madre dejó de lado su trabajo como secretaria ejecutiva para dedicarse a atender a sus cinco hijos. Lo hizo a petición de mi hermana mayor, Mariel Baldera, que un día le dijo: "Mami, ya no nos ponga a nadie a cuidarnos que nos van a matar". Es que no era tarea fácil atender a cinco niños pequeños.

Ella sacrificó su desarrollo profesional para dedicarse a lo que entendía era más importante: su familia. Fue una emprendedora nata. Fue estilista, repostera, modista, en fin, muchas cosas para ayudar a sostener el hogar.

Y así ambos forjaron una familia en la que nunca podía faltar el amor a Dios. En medio de todas las ocupaciones, íbamos a misa todos los domingos y teníamos una vida comprometida en la iglesia. Debo decir que mis padres eran dos dirigentes comunitarios que trataban de aportar a la comunidad desde la fe.

Evangelizaban, ayudaban a otras familias a construir juntos una mejor vida. Mis padres fallecieron, ambos de cáncer, y aunque han sido días muy tristes tras su despedida de este mundo, el legado de trabajo y servicio de ambos me llena de orgullo. Mi madre, por ejemplo, poco antes de morir seguía alfabetizando en mi casa a niños y adultos que no sabían leer ni escribir.

Fue ese el ejemplo que vi y recibí de ellos desde siempre. Por eso para mí la palabra decisión tiene mucho sentido. A la edad de 17 años, cuando terminé el bachillerato, le pedí a mi padre que me ayudara a conseguir un trabajo. Quería trabajar e iba a hacerlo con o sin su ayuda.

Al escucharme mi madre tan decidida, le dijo que me ayudara. Así logré mi primer trabajo, en el Centro de Cómputos de la Junta Central Electoral de la República Dominicana.

Luego me tocó entrar a la universidad. Yo tenía muy claro que quería estudiar periodismo. Había recibido una beca, pero en esa universidad no tenían esa carrera, así que le dije a mami que si tenía que seguir trabajando para pagar mis estudios lo haría; no pensaba usar esa beca porque no me gustaba otra cosa. Ya ella me había sugerido estudiar mercadeo.

Inicié la carrera de Comunicación Social y, gracias a Dios, con 22 años de trayectoria no me arrepiento de haber desistido de la beca y haberme mantenido firme en mi intención de estudiar lo que me apasionaba.

En la universidad conocí al que hoy es mi esposo, también periodista, Máximo Jiménez, y antes de graduarnos nos casamos, luego de dos años de noviazgo.

Ya las cosas eran un poco más complicadas, pues debíamos salir adelante y pagar las facturas de la casa. Los trabajos eran escasos y yo, que era quien trabajaba, no ganaba lo suficiente para mantener el hogar sola.

Antes de terminar la carrera, trabajé en una compañía de ingenieros, mi segundo empleo luego de la Junta Central

Electoral, como secretaria y recepcionista. Así pagué toda la universidad pese a que mi padre se negaba a que yo trabajara.

Él siempre decía que se encargaría de costear los estudios de sus hijos, pero por encima de eso, siempre quise trabajar y demostrar que yo podía asumir ese compromiso.

Al poco tiempo de casada, salí embarazada. En ese momento nos alegró la noticia, aunque también nos llenó de incertidumbre; éramos muy jóvenes, yo apenas tenía 22 años y mi esposo 24 y aún estábamos abriéndonos paso en términos profesionales cada uno.

Sin embargo, si algo bueno tuvo esta etapa además de tener a mi primera hija, es que me permitió iniciar mi carrera como periodista. Les cuento que como mi aporte económico era importante en la casa, yo no podía dejar mi trabajo en la compañía de ingenieros. Por consiguiente, estaba esperando el momento oportuno para poder ejercer mi carrera.

Al dar a luz, pensé que tendría unos tres meses de licencia de maternidad y que sería el momento idóneo para conseguir entrar en el diarismo, sin tener que perder mi trabajo y mis ingresos como secretaria.

Una mañana tomé el teléfono y, sin conocer a nadie en ese lugar, llamé al director del periódico Listín Diario. Tuve la suerte de dar con una mujer que es un amor, la secretaria de la dirección, doña Helmi Lara, quien me dio la cita.

Me llevé conmigo todos los escritos que había hecho en ese momento en el periódico La Nación, donde empecé como colaboradora mientras estudiaba Comunicación Social en la Universidad Católica Santo Domingo y trabajaba como secretaria en la compañía de ingenieros. Los reuní todos y los llevé como parte de mi curriculum. No tenía ni 20 días de dar a luz a mi hija Maxlyn N. Jiménez.

Me preparé y fui a mi cita. Cuando el subdirector del periódico de ese entonces, el periodista Mozart D Lancer, me vio, me preguntó: "¿Y es verdad que usted está recién parida?"
Le dije que sí. Al verme tan decidida, me miró a la cara y me dijo que me recomendaría para una plaza que había disponible como periodista.

Así inicié a ejercer mi carrera, en el decano de la prensa dominicana Listín Diario, donde permanecí por más de 20 años, pasando por diferentes áreas de la redacción.

Fueron muchos los momentos de dificultad que viví queriendo ser madre, esposa y periodista, pero lo logré. Nadie dijo que sería fácil, pero no es imposible. Hay que decir que los periodistas tenemos una desventaja con relación a otros trabajos y es que sabemos a qué hora llegamos, pero no a qué hora salimos.

Fueron muchas la veces que entré a las 7 de la mañana y a las 9 de la noche aún estaba en la redacción trabajando, apasionada con lo que hacía y con esa gran oportunidad que me dieron.

El periodismo me ha dado grandes satisfacciones, pero también momentos de tensión como una madre que quería cumplir con este rol al cien por ciento. Muchas veces no pude llevar a los niños al colegio, estar con ellos para comer... En fin, trataba de dar lo mejor de mí en los momentos que estábamos en familia. Recuerdo que una de las cosas que más me disgustaba era que debía trabajar fines de semana y días de fiesta, porque los periodistas en muchos casos trabajamos cuando otros descansan.

EMELYN BALDERA

Mi vida ha estado llena de muchas situaciones gratificantes, como también de algunos momentos no tan dulces, pero lo más importante para mí ha sido no darme por vencida. Seguir adelante, poniendo mi mejor cara.

Dos momentos importantes como mujer profesional los viví al llegar por primera vez a la presidencia de la Asociación de Cronistas de Arte (Acroarte) (y aunque gracias al Señor logramos las metas propuestas en ese momento, no fue nada fácil), y ahora como presidenta electa por segunda ocasión, cuando estamos más comprometidos que nunca a seguir trabajando por el desarrollo del arte y la comunicación dominicana.

Muchas veces la gente solo ve la parte bonita, pero detrás de eso hay muchas horas de trabajo, dedicación y desvelos. Por ejemplo, he sabido llevar hasta cuatro trabajos al mismo tiempo para poder contribuir con el sustento económico de mi hogar. No le tengo miedo al trabajo; eso lo aprendí de mis padres también, aunque en momentos llegó el agotamiento.

Me siento orgullosa de poder tener una familia, tres hijos maravillosos y un esposo que me acompaña en cada reto y en cada etapa de mi vida, que me empuja a soñar y que además me da rienda suelta para poder seguir creciendo.

Les confieso que, al inicio de nuestra vida juntos como familia, no fue todo color de rosa. En momentos mi esposo no entendía, aunque él era periodista también, por qué yo trabajaba tanto. Le costó entender que mi profesión me apasiona, pero luego ha sido el promotor número uno de todo lo que soy.

Yo siempre apostaré a seguir motivando a las mujeres a soñar, a ir tras sus metas, aunque sean difíciles; esas son las que producen mayores satisfacciones.

EMELYN BALDERA

WENDY

SÁNCHEZ

WENDY

SÁNCHEZ

WENDY SÁNCHEZ

EMPRESARIA

DOMINICANA-*NY*

@WENDYSANCZ

11

UNA SONRISA EN MEDIO DE LA ANGUSTIA

El año 2013 significó un tremendo desafío para mí. Después de haber vivido en varios países en parte debido a traslados laborales de quien era mi esposo, llegué de Belice a Estados Unidos con la intención de pasar unas cortas vacaciones en Nueva York. Tenía seis meses de embarazo de mi último hijo, y tuve que tomar una decisión que impactaría drásticamente mi vida y la de mi familia.

WENDY SÁNCHEZ

Mi nombre es Wendy Sánchez Solís y tengo cuatro hijos. La mayor, Esther, tiene 25 años y es la princesa de la familia, dado que los demás son varones: Aarón, de 11 años; Moisés, de 9, y Jonás, de 7. En esta etapa es cuando he decidido compartir esta historia.

Cuando llegué a Nueva York de vacaciones, por circunstancias que no planeé nació mi hijo menor. El niño presentó algunos problemas de salud que me obligaron a quedarme cierto tiempo: tenía problemas en la tráquea y necesitaba ser operado; además, no podía escuchar bien. Días después, mi hijo de casi 2 años, que estaba en Miami al cuidado de una tía mientras yo me recuperaba de mi parto por cesárea, fue diagnosticado con neutropenia autoinmune.

Recuerdo haber quedado en shock. "¿Qué?", le pregunté a la médico hematóloga/oncóloga/pediatra. "¿Podría explicarme qué significa todo eso?". "Con gusto", me contestó.

Mi angustia en ese momento abarcaba tres áreas. Primero, la delicada situación de salud de mi bebé. Segundo, estaba sola con un recién nacido y un niño de cuatro años (mi hija estaba con mi madre en República Dominicana). Agradezco a Dios que me proveyó un lugar donde quedarme: la casa de un familiar que trabajaba todo el día y regresaba por la noche, lo cual también implicaba que tenía cuidar de mí misma y de los niños.

En tercer lugar, tenía que tomar la decisión de quedarme en Estados Unidos dado que en Belice no contábamos con los especialistas para tratar los problemas de salud de los niños. Tampoco tenía idea del tiempo que tardarían sus respectivos tratamientos y recuperación. Oh, y aún no les he contado: en ese entonces estaba casada y mi esposo no me acompañó en el viaje.

Dadas las nuevas circunstancias, consulté con un abogado para poder extender mi estadía en el país. ¿Puedes imaginar cómo me sentía en ese momento? El nivel de estrés era insoportable. Fue entonces que descubrí que tenía una capacidad de resiliencia que yo misma no conocía. Indudablemente, Dios me estaba capacitando para luchar con todos aquellos desafíos. Así que la persistencia no era una opción, sino una necesidad.

Cuando le comuniqué los detalles a mi esposo, él estuvo de acuerdo en que no teníamos otra opción que quedarnos nosotros en Estados Unidos y él en Belice, por lo menos hasta que los problemas de salud de los niños estuvieran bajo control. No veía en ese entonces una salida pronta a mi situación, pero mi confianza estaba puesta en Dios.

Los doctores no me daban muchas esperanzas; según ellos, el bebé perdería la capacidad de hablar dado que, después de la operación de la tráquea, no tendría una respiración estable. En el caso de mi otro hijo, era un posible candidato a un trasplante de médula ósea. Esto implicaba que una simple fiebre podría matarlo. Les confieso que como madre me sentía muy angustiada.

Estar envuelta en los trámites legales, el proceso de recuperación de mi parto por cesárea, las múltiples citas médicas y las continuas visitas a las salas de emergencias (que por cierto conocía tan bien como el lugar donde dormía) provocó que la herida de la cesárea se infectara y abriera. Ahora era yo quien fue a parar al hospital.

En el hospital, solo pensaba en el hijo que estaba en Miami. Deseaba estar con él y cuidarlo. Entonces llamé a mi tía y le pedí que me trajera el niño. En pocos días estaba con mis tres hijos: uno de 4 años, otro de 2 y un recién nacido, ¡y moviéndome con todos a todos lados! Cuando recuerdo aquellos días aciagos, me lleno de emoción. Y esto es solo parte de todo lo vivido, pero lo que narro aquí sirve para ilustrar que nada en este mundo debería hacerte perder la fe. Rendirnos no es una opción.

En esos días notaba a mi esposo ausente. Cuando le hablaba, siempre me respondía que estaba muy ocupado en el trabajo. Mientras tanto, mi prioridad eran mis hijos y su recuperación. Cierto día, me llegó una foto con la imagen de los pies de una mujer acostada en mi cama mirando la TV. Un mensaje acompañaba la foto: "Soy la razón por la cual (tu esposo) no tiene tiempo para hablarte". No contesté inmediatamente, pero luego le escribí a mi esposo y poco tiempo después estábamos divorciados. Para colmo, dada su ausencia, mi hijo de 4 años empezó a carecer de concentración para estudiar y desarrolló asma aguda, lo que me hacía vivir prácticamente en el hospital. Cuando no era por la salud de uno, era por la salud del otro.

Por si fuera poco, cuando mi hijo menor tenía tres meses recibí una llamada de mi madre desde la República Dominicana para darme la horrible noticia de que mi hija Esther, entonces de 21 años, había sido víctima de un intento de homicidio y estaba muy mal de salud. Recuerdo que en ese momento caí de rodillas implorando el poder divino. Me aferré al pasaje de Filipenses 4:13, "Todo lo puedo en Cristo que me fortalece". Desde ese día, ese verso de la Biblia es mi caballo de batalla. Los atentados contra mi hija, por motivos que hasta hoy desconocemos, continuaron por algún tiempo profundizando mi angustia, pero Dios abrió los caminos para que también ella pudiera mudarse a Estados Unidos.

Finalmente llegó el momento de tomar la decisión de hacer la operación de mi bebé. Por alguna razón la había ido postergado, pero ya los doctores no aceptaban más dilación porque después de cierto tiempo no tendría los resultados esperados. También existían posibles riesgos postoperatorios. En esos días había pedido a un grupo enorme de personas que clamaran a Dios por mi situación. Como producto de ello, estaba lista para tomar una decisión: no voy a operar a mi hijo. Los médicos no podían entender mi actitud. Hoy no tengo la menor duda que Dios me dirigió en aquella circunstancia.

Mi niño ahora tiene 7 años y, después de muchas terapias y en contra de todo pronóstico, puede respirar y escuchar bien. ¡Y hasta canta en la iglesia para la gloria de Dios! No hay duda de que el Señor es el Médico de los médicos.

Por otro lado, cada vez que a Moisés le daba una pequeña fiebre corría al hospital, donde permanecía interno por varios días. Durante ese tiempo, todos nos quedábamos en la habitación donde él estaba interno porque no tenía quien me cuidara a los otros niños. Para la gloria de Dios, hoy tiene 9 años ¡y no se ha vuelto a enfermar!
¿Qué les puedo decir de mi otro hijo, el mayor de los varones? Ya tiene 11 años, sigue bajo cuidado médico, el proceso de recuperación ha sido lento, pero no tengo la menor duda de que Dios está al control.

Ahora te diré brevemente cuál es mi condición en estos momentos, después de haber pasado por tantas situaciones difíciles donde me preguntaba cómo haría para salir adelante. Siempre estuve contenta con mis hijos a pesar de sus enfermedades, con el caso de mi hija amenazada de muerte, bajo los estragos emocionales de un divorcio, por momentos también en la calle sin tener donde vivir...

Una de las cosas que me caracteriza, y esto lo saben quienes me conocen, es que siempre tengo una sonrisa en mi rostro.

Algunos se sorprenden y me preguntan cómo puedo mantener una actitud tan firme y positiva. Siempre respondo con mi pasaje favorito: Filipenses 4:13.

Es muy probable que, al leer mi testimonio, te identifiques conmigo porque también hayas pasado por situaciones tanto o más difíciles que las mías, y quizás te cueste sonreír y afrontar el presente con fe y una actitud positiva. Es probable que ahora mismo estés sumida en alguna aflicción que te haya hecho perder la esperanza. Te puedo comprender completamente. Es por ello que me atreví a contar esta parte de mi historia, con la única intención de mostrar que, cuando crees las promesas de Dios y permites que Él sea tu Guía, su amor poderoso calmará tu dolor, te dará paz, gozo y fortaleza para seguir enfrentando las situaciones que enfrentas cada día.

Nunca te rindas, lo mejor viene en camino. Hay una luz al final del túnel.

Concluyo en gratitud a Dios en primer lugar, y después por usar a muchas personas que me apoyaron en esos momentos difíciles, como mis padres Gregorio y Eusebia que, sin importar la distancia, siempre estuvieron ahí. Al pastor Héctor A. Delgado y a su esposa Marisabel. A Mariana y a Altagracia. Gracias por su apoyo incondicional, su recompensa vendrá del cielo.

WENDY SÁNCHEZ

MARIZI
MARTÍNEZ

CANTANTE-WORSHIPPER-ADORADORA

MARIZÍ
MARTÍN
MARIZÍ
MARTÍNEZ

PUERTORRIQUEÑA-*NY*

@MARIZIOFFICIAL

12

EL PROPÓSITO DE DIOS SE CUMPLIÓ EN MÍ

Una vez escuché a alguien decir: "Háblame de tu proceso y te diré cuál es tu llamado". En la Biblia, vemos casos como el de José, que para ser gobernador tuvo que ser esclavo. Y para que Abraham fuera padre de multitudes tuvo que enfrentar la esterilidad en su matrimonio. Así también enfrentamos dificultades en el camino, pero no son para muerte, sino para posicionarnos hacia el propósito que Dios diseñó para nosotros.

MARIZI MARTÍNEZ

Nací en San Juan y crecí en Carolina, Puerto Rico. De niña siempre fui muy soñadora, pero a la vez tímida. Crecí en un hogar lleno de mucho amor, aunque tuve que enfrentar dificultades. Mis padres se divorciaron cuando yo tenía 8 años y a mis 15 mi padre falleció.

A esa edad, pasé por un noviazgo tóxico con alguien que me maltrataba emocional, verbal y físicamente. También sufría bullying en la escuela. Pasé por depresión y hasta intenté suicidarme en dos ocasiones. Sentía que nadie me entendía. Un día tomé un cuchillo y en otra ocasión un pote de pastillas para quitarme la vida, pero Dios no lo permitió. Crecí con muchas preguntas; me sentía sola, rechazada y con muchos complejos. Con el tiempo me refugié en la música. Componía canciones y tocaba la guitarra, así como lo hacía mi papá. Ese mismo año comencé a liderar en la Iglesia Nuestra Señora del Pilar en Canóvanas con una banda de músicos. Sin embargo, soñaba con ser algún día cantante de música secular.

Estudié ciencias en la Universidad de Puerto Rico, con electivas en música. Mi madre quería que fuera médico y me preparé para entrar a la escuela de medicina. Viví la ausencia de mi padre y mi madre trabajaba arduamente para sostenernos. Fui a muchas competencias de canto y gané primeros lugares, pero aun así me sentía sola. Pasó el tiempo y en el año 2010 tuve la oportunidad de ir a California y firmar contrato con agentes de la industria de la música y el cine. Ahí fue cuando decidí dejar la medicina y mudarme a Nueva York para trabajar con ellos. Dejé todo atrás para realizar mis sueños, pero nunca los sueños de Dios.

No todo fue color de rosa tampoco. Aquí en la ciudad, pasé hambre, no tenía dinero para montarme en el bus. Caminaba largas horas para todos lados; trataba de estirar lo poco que tenía para poder comer. Dormía en un sofá y mi clóset era mi propia maleta. Definitivamente no era lo que había pensado.

Ese año me fui con la esperanza de buscar un mejor futuro y audicioné para el reality show "Yo canto" que se transmitió por Telemundo PR en el 2011. Fue muy dura la experiencia, pues convivíamos allí y las críticas de la prensa eran muy fuertes. Salí en el Top 10 de la competencia, pero casi con depresión.
Ese año viajé a Colombia, México y luego regresé a Nueva York para terminar mi disco. Pero pasó algo que cambió mis planes: quedé embarazada.

Cuando me enteré, la noticia fue muy sorpresiva, pero la tomé con mucha responsabilidad junto con mi pareja. En ese entonces hice una pausa para dedicarme a hacer una familia y ser madre de un hermoso hijo.

Pasaron los años y comencé a tener problemas con mi pareja. Me alejé de Dios y detuve la música. Comencé a sentirme desmotivada de todo. No sabía si era depresión, pero no tenía ganas de nada. Sabía que a muchas mujeres les da depresión posparto, pero yo me rehusaba a aceptarlo. Cada día, los problemas en mi casa eran mayores. Entonces terminé separándome del padre de mi hijo. Eran muchas preguntas: ¿Qué iba a hacer sola en la ciudad de Nueva York? ¿Cómo iba a pagar la renta? ¿Cómo iba a poder con una ciudad tan cara?

Estaba llena de interrogantes, pero comencé a poner mi confianza en Dios. Estudié y trabajé duro para sostener a mi hijo y salir adelante como madre soltera.

En el 2016, me hablaron de una competencia de canto, "La Voz de NY", y fui audicionar. Terminé como primera finalista y años después fui jurado y coach vocal del mismo programa. Ya comenzaba a recuperar mi salud emocional, mi identidad, mi motivación, y la esencia que había perdido.

Terminé mis estudios universitarios en Lehman College en el Bronx, en producción de televisión y segundo grado en música. Y me certifiqué en el curso de comunicaciones de NYC Latin Media. Me llevaron a Univisión y allí conocí al director de contenido Luis Antonio Valera, quien además era pastor. Él nos invitó a la iglesia Nuevas Buenas y logró impactarme con su mensaje del amor de Dios: "En muchos lugares te pueden decir, deja de pecar y ven a Cristo, pero Jesús te dice hoy, 'ven así mismo como estás, que el amor de Dios es el que te va a transformar'". Y yo dije: "¡WOW, entonces no tengo que estar PERFECTA para venir a Cristo!"

Me congregué y comencé a formar parte del ministerio de alabanza.

En ese momento, yo estaba tan cansada de tocar puertas en la música y no ver mis sueños cumplirse. De no tener discos con la edad que tenía, de comenzar algo y encontrar callejones sin salida. Siempre me había identificado con la historia de Jonás: Dios lo había enviado a la ciudad de Nínive a llevar un mensaje de juicio, pero por miedo huyó. Y así mismo nos pasa, a veces el miedo nos paraliza, pero dice en su palabra que: "...su amor perfecto echa fuera el temor" (1 Juan 4:18). Y el amor perfecto de Dios echó fuera mis temores.

Entonces le dije a Dios: "Aunque tenga miedo, voy a seguirte". Tuve que tocar fondo para entender el propósito de Dios conmigo. Pero Dios en su misericordia me alcanzó y me perdonó.
Ese año cambió todo. Dios entró a organizar cada área de mi vida: financiera, emocional, física y espiritual. Dios aumentó mis finanzas, cambié de trabajo, de asistente médico a una

compañía que me pagaban tres veces más. Sin crédito, pude sacar un carro sin consignatario. Al mes me llamaron de Telemundo 47 y ahí comencé a trabajar en "Acceso total" por un tiempo y luego en "El Show de Jackie".

No obstante, pasé por más pruebas: estuve a punto de perder mi carro y mi casa en dos ocasiones. Posteriormente, vinieron cuatro ofertas de disqueras seculares, lo que nunca había pasado. Ese año me llamaron de "The Voice USA" para participar, pero no continué el proceso. ¿A qué estaba dispuesta a RENUNCIAR por amor a Dios? Entendí que mi conversión se tenía que hacer evidente.

Ese año me ministraron una palabra, que estaría viajando, promoviendo dos sencillos que Dios pondrá en mis manos. "Caminarás por fe te dice el señor", y meses después viajé dos veces a República Dominicana. La palabra de Dios se hacía palpable y 18 años después comenzaba a ver sus promesas cumplirse.

A finales de año, de una manera no muy común, conocí en las redes sociales al productor ejecutivo Luis Avilés de la casa disquera Blessing Recording Studio, Promotion and Productions en el Bronx. Nos reunimos junto al arreglista y productor Juan Camilo Borja, y les dije: "Voy a buscar a un compositor en República Dominicana". Me fui, pero mientras manejaba, el Señor me repetía: "Escribe tú". Empezaron a llegarme las melodías y las letras; fui al piano y comencé a escribir.

Sin embargo, luego de esa reunión, pasé casi dos años con ataques de ansiedad. El enemigo comenzó atacando mi mente con pensamientos negativos: "Nadie te quiere, estás sola." Luego entendí que esa voz no provenía de Dios y busqué a Dios en oración.

El año siguiente me dio el coronavirus y pasamos momentos muy difíciles en la pandemia. Ese encierro hizo que me refugiara en el Señor como nunca antes. El Señor me estaba preparando, y meses después, me llevó a predicar en diversas iglesias del área tri-estatal.

Al final del 2020, cuando muchos perdieron a sus familiares, muchos salimos vivos de esa pesadilla. Dios nos permitió lanzar, en medio de una pandemia, nuestro primer sencillo "Tú amor es grande", algo que parecía imposible.

Y ahora a ti que estás leyendo esto, quizás hayas atravesado pruebas que trataron de destruirte, pero si el Señor te ha mantenido vivo, es porque tu asignación en la tierra aún no ha terminado. Así que cualquier problema que estés pasando, o esperando por algo, descansa en el Señor. Cualquier cosa que hayas perdido, Él TODO te lo multiplicará. Yo declaro la bendición y el aceleramiento del plan de Dios en tu vida. Que así como ha pasado conmigo, también se cumpla el propósito de Dios en ti.

MARIZI MARTÍNEZ

RUTH
HULSE

RUTH

HULSE

RUTH

HULSE

**TRABAJADORA SOCIAL-PSICÓLOGA
FILÁNTROPA MISIONERA**

DOMINICANA- *FLORIDA*

@RUTHULSE65

13

CONSTRUYE LA MUJER QUE QUIERES SER

Nací durante la Guerra Civil Dominicana de 1965 en la capital del país, Santo Domingo, siendo la tercera de siete hijos. Éramos una familia de militares y vivíamos en una comunidad militar. Como muchos niños y civiles en tiempos de guerra, fui una víctima involuntaria: me dispararon cuando era una bebé en un muslo y un glúteo. Sin embargo, tuve suerte y sobreviví esa prueba.

RUTH HULSE

Cuando era niña, mi madre, Efigenia Taveras De Medrano, me explicó el motivo de los dos sobresaltos en mi pierna. Me informó que Dios me había dado una segunda oportunidad para que pudiera convertirme en una persona positiva y exitosa que impactara positivamente a los demás. Siempre he intentado estar a la altura de sus palabras.

Mi padre, Federico Medrano, era un paracaidista y luego se desempeñó como guardaespaldas personal de la hermana del presidente. Mi querida madre era gerente general en la compañía PIDOCA y una negociante que siempre vendía para complementar los ingresos de nuestra familia. Dos semanas después de celebrar mi cumpleaños número 11, mi madre murió inesperadamente de un ataque al corazón, dejando a mi padre con siete hijos y una sobrina, Marina, a la que habían adoptado. Después de la muerte de mi madre, Marina asumió hasta cierto punto su rol, cuidándonos mientras mi padre continuaba con su carrera en la Fuerza Aérea Dominicana.

Tres años después mi padre se retiró como militar y emigró a los Estados Unidos. Durante sus primeros años en Nueva York, nos decía que aprendiéramos inglés y a mí que tomara cursos en una escuela de belleza local. Aunque no teníamos forma de saberlo, mi papá sabía que la vida sería mucho mejor para nosotros si podía llevarnos con él para allá.

A mis 17 años fui, junto con mi hermano mayor, la primera en emigrar. Mi papá nos tramitó la residencia y poco a poco los siete hermanos nos reunimos en Nueva York. Mi padre ya no está con nosotros; nunca podré agradecerle lo suficiente por su determinación de mantenernos juntos y traernos a todos a los Estados Unidos.

Al igual que les pasará a muchos inmigrantes, cuando llegué

pronto aprendí que mis clases de inglés en la República Dominicana no me prepararon lo suficiente para el inglés americano: el vocabulario extenso, las pronunciaciones difíciles y la gran cantidad de excepciones a las reglas del idioma hacían que para mí fuera muy difícil dominarlo. Con mis habilidades limitadas en esta área, la vida me era muy exigente. Sin embargo, continuamente luché, siempre recordando lo que me dijo mi madre: que debía mantener una actitud positiva para llegar a ser una persona exitosa, con un efecto beneficioso para los demás.

Como muchas mujeres dominicanas, también trabajé en un salón de belleza haciendo manicuras y pedicuras los fines de semana, mientras que durante la semana me desempeñaba como recepcionista de día y por la noche iba a la escuela. Seguí estudiando inglés hasta que pude pasar los exámenes y adquirir mi título de bachillerato.

A mis 18 años, un día le dije a mi papá: "¡Sé lo que quiero ser! Una mujer de negocios exitosa, ser dueña de una casa y comprar edificios para rentar". Me preguntó cómo iba a lograrlo y mi respuesta fue: obteniendo un título universitario, casándome y teniendo una familia.

Pero después de obtener mi diploma de high school, en lugar de la universidad me casé y tuve dos hermosas niñas, Stephanie y Diana. Durante mi matrimonio le comenté a mi esposo mis intenciones de ir a la universidad para poder obtener un mejor empleo y poder comprarnos una casa.

Mi esposo no era ambicioso; estaba satisfecho con lo que tenía. Yo, sin decirle nada, me inscribí en la universidad y eso le generó unos celos que nos llevaron al divorcio.

RUTH HULSE

A mis 24 años conocí a quien sería mi segundo esposo. Él se inscribió en la universidad conmigo para lograr nuestra meta, eso pensé. Tuvimos un hijo, Jonathan, y una hermosa niña, Leslie. Pero él solo quería ser policía y cuando lo hizo comenzó a cambiar. Me divorcié por segunda vez, esta vez con cuatro hijos.

Cuando cumplí los 31, era una madre divorciada de cuatro hijos, con pocos créditos universitarios y dos trabajos. Sabía que la única forma de cambiar mi vida era obteniendo una mejor educación. Aún con habilidades limitadas en el inglés, pero cargada de confianza y determinación, me inscribí en Hostos Community College para enseñarles a mis hijos que sin educación no se puede progresar.

Mientras asistía a la universidad, trabajé para la universidad como asistente en el Departamento de Finanzas y tenía otro trabajo en el Departamento de Servicios Sociales, en una residencia de rehabilitación para madres con problemas de alcohol y abuso de sustancias en el sur del Bronx. Ahí encontré mi pasión y me decidí por una carrera en trabajo social. Seis meses después me ofrecieron un puesto de tiempo completo mientras completaba mis estudios.

Me gradué de Hostos en Administración Pública, me inscribí en Lehman College y obtuve una licenciatura en Psicología. Seguí trabajando en varios refugios para víctimas de violencia doméstica, VIH y abuso de sustancias.

Aunque ya tenía dos títulos universitarios y un trabajo de tiempo completo, mi salario no era suficiente para mantener una familia de 5. Mi hermana mayor me consiguió otro empleo de servicio al cliente en bienes raíces. En esa compañía me pagaban mucho mejor salario y comisión de lo que ganaba como trabajadora social. Pude ahorrar y rentar una casa con fines de compra.

En la compañía de bienes raíces conocí a un elegante caballero y le dije a mi hermana que algún día me casaría con él. Trabajé bien duro para poder ahorrar y comprarme mi casa, pero entonces perdí mi maravilloso empleo después de siete años de trabajo (1999 al 2006). El caballero antes mencionado se enteró de que yo estaba trabajando para la competencia y me ofreció volver, pero lo rechacé. Dos años después salimos a cenar y ahí fue que decidimos comenzar nuestra relación.

En 2008 me casé con George Hulse. Él tiene una hija adulta y una nieta adolescente. En él encontré al esposo maravilloso que le conté a mi padre que anhelaba. George sigue trabajando como ejecutivo y yo en servicios sociales. Juntos nos esforzamos para alcanzar mi sueño ser de dueña de una casa y comprar edificios para rentar. George y yo no tuvimos hijos en común, pero tenemos una familia ensamblada grande y adorable con cuatro mujeres profesionales trabajando en leyes, bienes raíces, gerencia y salud, y un hombre profesional. También tengo tres hermosas nietas, Zoe, Ava, y Maryah, y un bello nieto, Malachi, además de un perrito, Kenzo. Siempre nos juntamos para cumpleaños, aniversarios, vacaciones y feriados.

Hoy en día, después de mucho trabajo y sacrificio, tengo mi propia compañía. Sí logré tener un buen esposo, mi propia casa y un edifico de apartamentos para la renta. Dono becas estudiantiles a madres solteras, y viajo como misionera a la República Dominicana, Haití, Jamaica y Puerto Rico.

SOJEY
FERNÁNDEZ
EMPRESARIA-GUIA DE NEGOCIOS

DOMINICANA-*MOUNT VERNON, NY*

@SOJEYFERNANDEZ CEO @DSAGENCYCORP

14

EMPRESARIA DEL REINO DE DIOS

"Cuanto eres fiel a ti, a tus ideas, tomas acción y tienes Fe, Todo se alinea a tu favor".
#conepowerfulwomen
#sojeyfernandez

¿Te imaginas estar en una olla de presión ardiente y que te suban el fuego? Así me sentí por mucho tiempo, quemándome del dolor que llevaba por dentro.

Nací en la República Dominicana, según cuenta mi hermana uno de los días más calientes del verano de 1986, gracias a Dios sana. Un milagro, pues mi madre enfermó al poco tiempo de haber quedado embarazada.

SOJEY FERNÁNDEZ

Dicen los expertos que los niños sienten aquello que pasan sus madres desde que están en el vientre, y la verdad no me imagino qué habré sentido con mi madre luchando por su salud. Fue una niñez muy difícil. Mi padre no estuvo presente. Sentía muchas carencias emocionales. Llegué a vivir maltratos, traumas por el dolor de no tener a mis padres. Recuerdo ese sentimiento de vacío y de inferioridad que me acompañaba y me generaba mucha tristeza. Pero a mis 8 años, mi abuela paterna y mi hermana mayor me dieron la oportunidad de mi vida: me brindaron un hogar sano y lleno de amor.

Era una joven muy carismática. Siempre me gustaron las artes, el baile, la música y la actuación. Me las daba de profesora, pero era muy acomplejada y mis miedos en especial a la crítica y a no ser aceptada me cortaban las alas.

No sé en qué momento de tu vida te encuentres, pero si estás pasando por un proceso que piensas que no tiene fin, quiero que respires profundo y des gracias; eso que tanto te duele es la bendición más grande, si así lo decides. Puede empujarte a salir de tu zona cómoda, a crecer y entender tu propósito divino. Verás cómo cada proceso te transforma en ese ser maravilloso que siempre has soñado y estás diseñado a ser.

Cómo inicié mi carrera

Me vine a vivir a los Estados Unidos a los 20 años, sin saber inglés. Bueno, hablaba como una primitiva dando señales, sabía lo básico. Llegué con dos maletas, algunos dólares y muchos sueños, dejando atrás lo que ya había construido en el ámbito laboral a mi corta edad y sin saber lo que me esperaba. Estaba prácticamente sola.

La realidad de muchos cuando llegamos a este país: venimos

124

con muchos sueños sin saber por dónde empezar, con miedo al idioma, a lo desconocido. Un año después me inscribí en la universidad con el objetivo de finalizar mi carrera de psicología industrial, ya que la neurociencia y la psicología del consumidor siempre han sido de mis grandes pasiones, además de las artes.

No comprendía por qué siempre terminaba en ventas y marketing. Desde mis 13 años trabajé en la tienda de uno de mis tíos y era increíblemente buena en estas áreas. No sabía que Dios solo me preparaba para convertirme en la empresaria que soy hoy.

En mi búsqueda de trabajo, pasé de cajera de supermercado a vendedora de una tienda de zapatos y más tarde de membresía en un gimnasio. Lo que ganaba solo me daba para pagar mi habitación, comida y transporte. Pero en tan solo un año, gracias a un reporte laboral positivo, me ofrecieron un trabajo en una de las compañías más reconocidas de telecomunicaciones. Acepté de inmediato, pero la verdad fue todo un reto: sentía que mi inglés me limitaba y, para colmo, no sabía nada de tecnología. Como dirían en el campo, o te tiras o te jondeas. Recuerdo una mañana en que llamé desesperada a mi hermana para decirle que eso no era para mí y que iba a renunciar sin haberme dado la oportunidad.

Pues les cuento que vencí mi miedo y me arriesgué. Aunque quise rendirme muchas veces, cuando terminó el entrenamiento y empecé a trabajar en poco tiempo me convertí en la vendedora número 1 del distrito, ganando reconocimientos y ascensos hasta convertirme en gerente con más de 17 empleados bajo mi supervisión en la industria de las telecomunicaciones.

SOJEY FERNÁNDEZ

Cómo nace mi emprendimiento:

De lo que nunca me di cuenta, y es algo que nos pasa a muchos, es que la vida nos está preparando para lo que viene. Todos mis trabajos y estudios me estaban entrenando para ser líder en mi propia empresa.

En el 2014, una persona muy importante en mi vida me sugirió crear un negocio de promotoras de marcas. Inmediatamente me enamoré de la idea. Era como la respuesta a lo que venía sintiendo por tanto tiempo. Sentí que no estaba diseñada para un trabajo de 9 a 5 y tenía muchos talentos que quería explotar. Después de hacer mis investigaciones, decidí ir a la escuela de Business Development (desarrollo empresarial) y certificarme para abrir mi propia corporación.

Gracias a que tenía un dinero ahorrado, y a que contaba con el apoyo de mi pareja en aquel entonces, decidí renunciar a mi trabajo de 5 años que me había brindado tantas oportunidades y lanzarme a la aventura del emprendimiento. No sabía que no era tan fácil como esperaba.

Primera enseñanza o sentido común: nunca dejes tu trabajo hasta que tu emprendimiento tome fuerzas. En la planificación estratégica, la disciplina y perseverancia está el éxito de todo lo que te propongas.

Inmediatamente cuando lanzamos la agencia, pensé que iba a haber trabajo al instante. ¿¡Cómo que no!?

Recuerdo que me ayudaron a crear un listado de potenciales clientes y empecé a llamarlos semana tras semana. Nada. No olvides que venía de ventas B2C, no B2B; esto era algo totalmente nuevo para mí. Hasta que un día, después de tantos

NO, perdí la confianza en mí misma y el proyecto. Empecé a cuestionarme si de verdad funcionaría. Me sentí como una fracasada por haber organizado un lanzamiento y no ver los resultados esperados.

Uno de los errores de los emprendedores es pensar que todo fluirá de inmediato, cuando en realidad después del lanzamiento es que comienza el trabajo arduo de dar a conocer nuestros productos o servicios. Si no creamos una estructura y un plan de negocio, nos desenfocamos y perderemos nuestra dirección, lo que nos motivó a crearlo. El negocio pequeño promedio fracasa en los primeros 5 años, ¡así que apriétate los guantes!

Pues te cuento que me rendí muy pronto. En ese momento no tenía la capacitación ni la mentalidad que tengo ahora. Luego me dediqué a estudiar y ser ama de casa, ya que mi niño venía en camino. Solo me enfoqué en mi familia y por tres años puse a un lado a la mujer soñadora e independiente porque me había perdido en el proceso y sentía mucha vergüenza conmigo misma por haberme rendido sin haber dado lo mejor de mí.

En el 2017 viví un terrible duelo por una serie de pérdidas que marcaron mi vida de una manera inexplicable. Mi madre había fallecido. Mi familia, que con tanto amor había construido, se desvaneció. Nunca olvidaré esa mañana del 2 de enero del 2017 cuando recibí una noticia que acabó con mi relación. Sentí que me clavaron un puñal por la espalda y me sacaron el corazón. Luego mis finanzas cayeron y, por último, mi salud. Todo parecía colapsar al mismo tiempo. Ni bien me recuperaba de una experiencia terrible tenía que pasar a la otra.

¿Y cómo uno se repone de tantas pérdidas? ¿Cómo me paro y sigo luchando cuando ya no puedo más? ¿Será que ser resiliente es la única solución? Fueron largas noches de lágrimas donde solo le pedía a Dios fuerzas para levantarme y no desmayar porque tenía un niño de tan solo un año que dependía de mí y mi miedo era no poder estar para él. Recuerdo un día que me tiré al piso de la sala de mi apartamento en llanto. Me sentía rota y le dije a Dios: "Recógeme tú, porque ya yo no puedo".

Pues mis oraciones fueron escuchadas. Esas situaciones poco a poco me impulsaron a salir de mi zona cómoda, a desaprender para volver a aprender, a buscar sanación, a darle mi vida a Dios, a creer una vez más en mí, a volver a soñar.

Cuando pensé que lo había perdido todo y que había tocado fondo fue cuando me encontré, y mi negocio y mis sueños volvieron a nacer.

Pero para recuperarme financieramente tuve que volver a trabajar como empleada por un tiempo. Esta vez ya no estaba en el mercado de las telecomunicaciones; pasé a servicios de IT como gerente ejecutiva de ventas en una compañía en el centro de Manhattan que me brindó grandes oportunidades, como conducir reuniones con los más altos ejecutivos y directores de grandes corporaciones. Era como que las ventas y la tecnología siempre me salían a encontrar. Vuelvo y repito, solo me estaban preparando para la posición que desempeño hoy en día.

Mi agencia de marketing, que fue fundada para brindar servicios de promotoras de marca, hoy brinda servicios de marketing digital y publicidad a pequeñas, medianas y grandes empresas. De no tener empleados ni dinero, nació un Super Team entre colaboradores, socios estratégicos y empleados, y seguimos creciendo. A través de la agencia he podido no solo acompañar a mis clientes a crear, lanzar y promover el negocio de sus sueños, sino también ser fuente de empleos y pasantías para jóvenes profesionales que buscan marcar la diferencia. Y con el objetivo de apoyar a otras mujeres a crear sus propios negocios nace ConectaWNY, la plataforma de taller y conferencia anual. Con los años me he convertido en la mujer y madre que siempre soñé ser y sigo trabajando en serlo. Veo este momento presente como el inicio para seguir recibiendo todo lo que anhela mi corazón.

Aprendizaje:

Basta de creer que tener una cuenta de redes sociales te convierte en CEO o empresaria y dile adiós a la idea de negocios microondas.

Aquí te comparto 7 pasos para que puedas liderar tu negocio y pases de emprendedora a empresaria:

- Conéctate con tu propósito, pasión y profesión.
- Crea rutinas para el balance de tu vida personal y profesional: cuerpo, alma y espíritu.
- Establece un plan de negocios de corto, mediano y largo plazo para que sea la brújula de tus decisiones empresariales.
- Aprende a negociar y conocer a tu potencial cliente.
- Establece tus procesos para que puedas tener claridad del recorrido de tus productos o servicios.
- Automatiza tus procesos. Estamos en la era de la tecnología; mientras más automatizado esté tu negocio, más tiempo tendrás para hacer otras actividades.
- Por último, apaláncate con talentos, define tu rol para forjar tu carácter empresarial y, si puedes, contrata lo que no sabes hacer para enfocarte en lo que más disfrutas y en el crecimiento de tu negocio.

YELITZA
LORA
COMUNICADORA-PRODUCTORA
-NEUROINFLUENCER

DOMINICANA *-NJ*

@YELITZALORA CEO @SOMOSOTRACOSA

15

MI VERDAD MEJOR ESCONDIDA

¿Quién es Yelitza Lora?

Durante un largo tiempo, ni yo lo sabía. Es por eso que, lo primero que quiero aclararles, es que a continuación van a leer parte de la vida de Flor Jelithza Lora De la Cruz... Y no se parece en nada a lo que puedan imaginar de Yelitza Lora. Por más natural o auténticas que nos vean en TV, eventos o redes sociales, las personas consideradas figuras públicas de mi generación no mostramos ni la mitad de lo que realmente somos o hemos vivido.

YELITZA LORA

Con el tiempo he descubierto que uno de los principales aliados de Dios es precisamente eso, "el tiempo". La mejor forma de medir qué tan bien o mal lo has hecho, es ser paciente y esperar el resultado de las decisiones que tomaste... Por eso cada cierto tiempo paso balance, me evalúo, y eso es lo que haré a continuación mientras les comparto una de las experiencias más traumáticas de mi vida; una con la que aprendí el verdadero significado del perdón.

En esta etapa de mi vida, mis prioridades están definidas, pero no siempre fue así. Acostumbraba a poner las necesidades de los demás por encima de las mías y pagué el precio, me desgasté de tal manera que una tarde, en medio de mi programa radial, tuve una crisis en vivo: me quedé en blanco sin poder hablar en plena transmisión. Lo que parecía un cuadro de agotamiento extremo terminó en varias terapias con el psiquiatra. Mi mente había perdido el control sobre mi cuerpo.

Venía de saborear uno de los años más importantes como talento de la televisión dominicana, el 2010, en el reality show "La Finca" de Tania Báez. Ese proyecto me regaló la oportunidad de ser Flor Jelithza con cámaras frente a mí las 24 horas del día. Fui expuesta con mis luces y sombras frente a una audiencia que solo me había visto hablar bonito en TV y asumía que, por mi apariencia y características físicas, pertenecía a una clase social diferente. De esa manera pude ser la muchachita de barrio que se superó, frente a millones de dominicanos, y así logré conectar con las masas en mi país. Mi cara y mi nombre estaban en todas partes. Yelitza Lora ya firmaba autógrafos a desconocidos en las calles.

En casa fui la única hembra. Con tres hermanos varones, me acostumbré a jugar sus juegos y guardar mis Barbies; lo importante era jugar. De mi infancia recuerdo todo. A los 11 años estudiaba modelaje, mi vida social comenzaba a expandirse. En mi casa siempre había muchos vecinos de visita. Vivía con una sensación de extrema confianza hacia muchas personas que, con mi experiencia de hoy, en realidad no conocíamos bien. Por esa razón y mi corta edad, se me hizo muy difícil identificar lo que era abuso sexual y mucho menos que yo estaba siendo víctima de ello en ese momento.

Es la primera vez que hablo o escribo sobre esto. De hecho, mi familia puede estarse enterando ahora mismo o alguien contárselo luego de leerlo. Mi amada madre tenía cuatro hijos que sustentar prácticamente sola; mi papá me sacó de su vida por muchos años por yo ser desobediente y haber salido a modelar en revistas y periódicos luego que él me lo prohibiera. Mis padres eran divorciados y lamentablemente nunca estuvieron de acuerdo en nada, lo cual me hizo más difícil identificar ciertas cosas que me sucedían. Me acostumbré a guardar y ocultar el dolor. De hecho, me volví una experta. Y cuánto daño me causé por eso.

Fui violada varias veces, por la misma persona, durante un año. No tendría yo más de 10 años y evidentemente esta persona era muy cercana a la familia. Mi madre confiaba en él al punto que, cuando decidí contarle lo que él me hacía, ella que era mi mejor amiga, la mujer en quien más había confiado y el ser que más había amado, no me creyó. Sí enfrentó a mi abusador conmigo presente, pero ese hombre enfermo de odio "desmintió" mi acusación y, así de simple, mi palabra perdió valor.

Todavía no puedo describir mi sensación de impotencia. No tenía la confianza para hablarlo con mi padre, que en ese entonces solo nos buscaba los fines de semana, y mi madre decidió llevarme a terapia por la mentira tan grande y peligrosa que en ese momento ella entendía que yo había inventado.

Decidí tomar las riendas de mi vida. Antes de cumplir los 12, ya estaba trabajando en lo que sin saber se convertiría en mi pasión, mi profesión y mi principal fuente de ingresos como modelo en programas de televisión. Decidí vincularme con personas mucho mayores que yo y, lamentablemente, esto hizo que mi actividad sexual comenzara a destiempo.

Aquí sí le agradezco a mi madre el haberme orientando en cuanto a protección, preservativos, anticonceptivos y todo lo necesario para evitar enfermedades y embarazos no deseados; yo igual seguía confiando en ella y le contaba absolutamente todo. Lo que hice fue asumir la responsabilidad de mi cuerpo, mi vida y mis decisiones; no me arrepiento ni un segundo.

Pero el seguir con mi vida, asumir el arte y el espectáculo como mi mundo, no borraba esas heridas que, aunque invisibles físicamente, influían directamente sobre mi conducta y mi forma de relacionarme con los demás. Llegué a salir con hombres que bien podían ser mis abuelos. De todo eso, aprendí mucho.

También fui madre soltera por más de una década, y ahí entendí más que nunca a mi madre. Humanamente, no le podía exigir más. Me dio todo lo bueno que tenía, su forma de amor incondicional. Hoy que no la tengo conmigo es de los sentimientos más inocentes y puros que he podido experimentar; mi madre y yo borramos mi historia de abuso de nuestras vidas, no lo volvimos a hablar jamás.

Lo que sí me contó fue que ella también fue abusada sexualmente durante su infancia por un miembro de su familia. Fue impactante para mí en ese momento, pero no sé por qué ni como, esa confesión me ayudó más que todas las sesiones de terapia sicológica a las que había ido. Desde entonces comencé a estudiar mi historia familiar. Vengo de dos familias con muchas grietas en el camino, pero gracias a Dios entendí a tiempo el para qué.

Amo a mi familia. Con ellos, he podido afianzar mis valores, he aprendido la maravillosa liberación que te ofrece el perdón, he conocido tantas formar de amar que en mi corazón solo existe gratitud hacia ellos. Solo así pude conocerme, entenderme, sanarme, perdonarme y, lo más importante, amarme y ponerme siempre en primer lugar, después de Dios, claro está.

Mi crecimiento personal se lo debo en gran parte al entretenimiento. Mis años de universidad no servirían de nada si el espectáculo no me hubiera elegido en aquel entonces. Los medios de comunicación me ayudaron a entender la línea tan fina que existe entre la realidad y la ficción, de igual forma que pude entender a muy temprana edad el gran valor de la percepción, más aún en la era digital, donde todos mostramos lo más bonito e interesante de nuestras vidas, aunque en el fondo esa no sea nuestra realidad. Pero a pesar de las luces, los aplausos, los *likes* y las tendencias, puedo darme el lujo de tener discernimiento. Sí, ya es considerado un lujo o hasta quizás un mito para las nuevas generaciones.

Mi vida cambió en 2015 con la muerte de mi madre, pero fue la muerte de mi hermano menor nueve meses después, con 25 añitos y por una sobredosis, la que me ayudó a tener el coraje suficiente para eliminar definitivamente de mi camino a tantas personas, algunos familiares incluidos, ciertas amistades e incluso marcas y clientes que no iban en sintonía conmigo. ¿Con qué soñaba a partir de esos dos golpes tan duros para mí? Con construir mi propia familia, y sabía que solo lo podía recibir de Dios. A Él le pedí una familia, como Él quisiera, cuando Él quisiera, y aunque mi hijo mayor y yo fuimos un binomio familiar perfecto por muchos años, los hijos son prestados y más cuando una madre los forma para ser libres e independientes; su futuro no es mío. Y aunque nunca creí en el matrimonio, hoy soy una mujer casada con una hermosa familia que salió victoriosa y fortalecida de todo el caos que hemos vivido en los últimos años. Tanto así, que por mi familia salí de mi país.

Los medios siempre serán una parte importante de mi estructura, pero saborear altos niveles de popularidad, conocer la fama de cerquita, 20 años dedicados a un oficio que amo y respeto, me ha permitido reconocer muy fácilmente lo que en verdad es importante en la vida. La familia. Mi familia.

Gracias a Yaneli Sosa por invitarme a ser parte de este hermoso libro. Hoy más que nunca debemos seguir unidas, compartiendo nuestras experiencias, mujeres maravillosas conscientes de su valor, el mundo cuenta con nosotras. Una nueva era recién inicia, y tiene nombre de mujer.

Y como mujer puedo finalmente decir con toda honestidad que me siento plena, que vivo en paz, que me liberé de un equipaje que no me perteneció nunca y que estoy convencida del propósito de Dios en mi vida y mi familia.

Comparto la historia que mayor vergüenza me había causado porque, de una forma u otra, quiero que pueda confirmar una vez más que ojos vemos, corazones no sabemos.

Son muchas las mujeres que hoy en día están librando batallas, muchas las adolescentes que están perdiendo su identidad, y quiero que ellas entiendan que quedarse calladas no es una opción, que busquen ayuda profesional, que se pronuncien a viva voz, que crean en ellas mismas.

Un filósofo lo dijo hace siglos:

YELITZA LORA

"Habla, para que yo pueda conocerte" - Sócrates.

AURA
AURA

ROSARIO

AURA

ROSARIO

ROSARIO
LÍDER COMUNITARIO
ENFERMERA PERINATOLOGA

DOMINICANA-*NY*

16

NACIDA PARA VIVIR EN LAS ALTURAS ¡NO CONOZCO LÍMITES!

Nací en Santo Domingo, República Dominicana, siendo la tercera de cuatro hijos de don Eduardo Rosario y doña Altemia Jiménez de Rosario, de quienes recibí una formación amorosa en u|n hogar de valores, amor y respeto.

En mi etapa de educación primaria, estuve en el Colegio San Vicente de Paúl, donde desde temprana edad descubrí mi vocación de

AURA ROSARIO

servicio a través de mis vinculaciones y colaboración con mis compañeros. Más tarde, en mi adolescencia, me trasladé junto a mi familia a nuestra cuna familiar, el municipio San Antonio de Guerra, donde cursé y terminé mis estudios secundarios rodeada del frescor de la naturaleza y la belleza rural de las labores agrícolas, encabezada por la siembra y el cultivo de caña de azúcar.

A mis 18 años me trasladé de vuelta a Santo Domingo para iniciar mis estudios universitarios de enfermería, donde pude encontrar en mí el fuego de servir y ayudar, conocer que, sin importar las escalas sociales del individuo, todos tenemos las mismas necesidades de atención, vulnerabilidades y posibilidades de dar y recibir.

Esta experiencia me permitió aprender de grandes seres humanos, maestros de la vida y padres de las enseñanzas al estar al servicio de los más necesitados, siendo testigo del dolor, de la soledad en otras personas, así como de la necesidad de afecto, aprecio y amor que tanto requiere nuestra sociedad.

Ya graduada de la universidad me trasladé a Puerto Rico para especializarme en Perinatología. Luego de dos años, concluyendo mi especialidad, me uní en matrimonio y posteriormente fui invitada a trasladarme a la ciudad de Nueva York para desempeñar mis funciones y ampliación profesional en el campo de la enfermería. Era la década de 1990.

En Estados Unidos fui bendecida con mis dos hijos, Margaret y Eduard, quienes son mi orgullo y fuente de inspiración y que afianzaron mi responsabilidad ante la sociedad y el mundo en pro de los valores y dejar un legado basado en el amor.

En mi vida profesional, continué mi formación con un postgrado en desarrollo del niño, certificándome como CDA (Child

AURA ROSARIO

Development Associate). Posteriormente formé un centro de atención infantil especializado donde dediqué 10 años de mi vida a la asistencia y formación del infante, concluyendo esta etapa de mi vida como profesional supervisora en la institución Partners in Care.

Allí pasé unos 11 años, manteniendo una formación constante con estudios varios en habilidades ejecutivas, cuidado emocional y físico para niños con desafíos, nutrición y salud, vida familiar y educación sexual holística.

Al trabajar en las metas trazadas con disciplina y comprometida conmigo misma, mi familia y mi entorno, y al relacionarme dinámicamente con muchas personas, aprendí de cerca sobre el magno potencial que todos tenemos para surgir y conquistar nuestros sueños cuando tenemos la información, herramientas adecuadas y una filosofía constructiva.

Ya con la experiencia de vida, como madre y profesional, decidí enfocarme en servir a los demás con amor e integridad. Tuve el privilegio de ser invitada a formar parte de las juntas directivas de diferentes instituciones, tales como el Instituto Duartiano USA, La Gran Parada Dominicana del Bronx Inc., la asociación de padres de la escuela PS 32 en estado de Nueva York, desempeñando el cargo de presidenta; el primer consejo de padres para Children's AIDS y comisiones humanitarias y de salud para República Dominicana, Haití y los Estados Unidos.

Esto me ha servido de experiencia y orgullo en lo que respecta a servicio comunitario y valores humanos, con el reto y desafío de desarrollarme cada día más con pulcritud y honestidad.

Asimismo, he sido fundadora de instituciones sin fin de lucro como Serafines de Guerra, establecida en el 2007 para traer conocimientos a la comunidad sobre los niños con necesidades especiales en el municipio San Antonio de Guerra, Santo Domingo Este, República Dominicana. Sus objetivos son educar y desarrollar conocimientos holísticos que sirvan de apoyo a la familia y el niño, ayudándole a la integración y desenvolvimiento educativo con el fin de incrementar su autoestima, desarrollo personal e inclusión social. Y Mujer Virtuosa RJ, un grupo de profesionales, líderes comunitarios y personas que persiguen un mismo bien común, con la creencia de que cada ser humano tiene derecho a desarrollar su máximo potencial sin importar su género o nivel social.

En mi trayectoria de servicios comunitarios como líder de la comunidad latina en la ciudad de Nueva York, he encontrado almas hermanas en el camino de ser y hacer parte de una mejor sociedad, buscando y encontrando soluciones a situaciones donde la luz de nuestras acciones lleva esperanza e historias de éxito y mejora las vidas de los individuos. Nuestro mejor premio es mejorar la vida de un ser humano que se convierte en una célula sana para formar un cuerpo social de avance y alcance en calidad de existencia.

Entre muchos otros honores que atesoro, están un certificado de reconocimiento especial del Congreso de los Estados Unidos otorgado por el representante de Nueva York Charles B. Rangel; un certificado de agradecimiento en reconocimiento a mi dedicación al voluntariado y los servicios a la comunidad de la presidenta del condado de Manhattan Gale A. Brewer, en particular por mi trabajo con niños con necesidades especiales; y un reconocimiento del Ayuntamiento Municipal San Antonio de Guerra como hija distinguida por mi aporte a este municipio a través de la fundación Serafines de Guerra.

Mi vida es una muestra de que la dedicación, entrega y sacrificio

AURA ROSARIO

rinde los frutos de la abundancia, la prosperidad y la armonía en una construcción de vida. Hoy, mirando hacia atrás, veo el camino recorrido y lo mucho que he entregado para ayudar a tantas personas que han sonreído y llenado sus pechos de alegría con mi existencia. Al ser yo en parte quien les ha llevado luz, me identifico con quien soy: un instrumento de amor, paz y sanación a través de mis acciones.

Siento que hoy en día hay Aura para rato, pues mi espíritu se llena de vida para darse al mundo, a las causas de los más necesitados. Espero servir de inspiración para los míos y los de otros, en cualquier rincón del mundo. Que quien pueda leer estas pocas líneas de mi vida encuentre en ellas una guía para trazar su propio camino, que sea de avance y crecimiento a través del servicio comunitario y social.

Solo con emociones positivas podemos hacer frente al tiempo y sus consecuencias.

¡Dios les bendiga!

PAYNO
ANAHEL
PAYNO
ANAHEL

ANAHEL
PAYNO

VICEPRESIDENTA EN CÁMARA INTERNACIONAL
MUJERES EMPRESARIAS Y DIRECTORA
GENERAL

BOLIVIANA-*BOLIVIA*

@LATAMLACORP @ANAHELPAYNO

17

EL SUEÑO DE UNA VIDA CON PROPÓSITO

En algún momento de nuestras vidas, todos soñamos con la vida que deseamos y creemos merecer.

Muchas veces dejamos olvidados nuestros sueños, atendiendo rutinas cotidianas al punto que ya no hacemos ningún esfuerzo por realizarlos y desaparece la voluntad para configurar nuestro propio destino y propósito de vida.

La madurez llega, y hace dormir nuestros sueños, pero debes recordar que esos sueños siempre estarán dentro, esperando el día en

ANAHEL PAYNO

que decidas despertar e ir por lo que anhelas.

Soy Anahel, una apasionada de la transformación y la innovación.

Nací en el corazón de Sudamérica, en Santa Cruz de la Sierra, Bolivia.

Recibí la bendición de tener un padre cristiano que me enseñó a amar a Dios y ayudar a los que lo necesiten.

Desde lo más profundo de nuestras almas, todos sabemos que poseemos un don especial, que somos diferentes, que podemos impactar a otros de una forma particular y podemos lograr que el mundo sea un mejor lugar.

Recuerdo que en el colegio muchas veces me vi liderando actividades de ayuda juvenil, asistiendo a retiros espirituales y células cristianas, además de tomarme a pecho la misión de levantar la autoestima de personas que me rodeaban y ayudar a las amigas a levantarse cuando se sentían derrotadas.

Aun con padres separados, junto a mis hermanos tuve la dicha de crecer en un entorno familiar muy unido, rodeada de mujeres en su mayoría; todas inteligentes, luchadoras, trabajadoras e independientes. Mi tía, con quien pasaba la mayor parte del tiempo, se convirtió en mi mentora de vida y despertó en mí la sed de conocimiento y el amor por los libros. Pero fue mi madre quien me inculcó buenos principios y me enseñó que la educación es la llave para salir adelante. Ella, junto a quien ahora es su pareja y por quien siento gran agradecimiento, hicieron todo el esfuerzo para que yo pudiera estudiar la secundaria en uno de los mejores colegios americanos de la ciudad, el Eagles School.

ANAHEL PAYNO

Estar en un colegio de tal nivel me permitió conocer compañeros de cuna empresarial con quienes realicé grandes proyectos. El colegio despertó mis habilidades de negocio más innatas, reforzó mi pasión por la tecnología, y el alto nivel en inglés me permitió más adelante obtener una certificación importante del Tompkins Cortland Community College.

Ya en la universidad conocí a quien ahora es mi esposo, Raúl Ribera, con el que quiero pasar el resto de mis días. Juntos tenemos dos hermosas niñas llamadas Alessandra y Antonella. La maternidad puso mi mundo de cabeza, pero también cambió mi manera de pensar y me hizo una mejor persona. Mi suegra es mi segunda madre y su familia ahora es mi familia. El tenerlos en mi vida fue el motor e impulso que me motivó a seguir estudiando hasta obtener un postítulo en marketing digital y redes sociales.

Motivada por el espíritu empresarial de mi universidad, la UPSA (Universidad Privada de Santa Cruz de la Sierra), y luego de haber realizado muchos proyectos enfocados al sector femenino, me inscribí en la feria del emprendimiento con un producto novedoso realizado para mujeres. No solo obtuve el segundo lugar, sino que esto me abrió las puertas a una beca para ir a España, la cual me fue facilitada al tener la nacionalidad española. Debido a motivos personales no pude aprovecharla, pero lejos de desanimarme comencé a participar en ruedas de negocios de CAINCO (la Cámara de Industria, Comercio, Servicios y Turismo de Santa Cruz), donde muchas empresas e inversionistas quisieron apoyar mis ideas y proyectos ofreciéndome financiamiento, pero la patente tardó en salir y yo debía trabajar.

Decidí enfocarme en buscar experiencias y aprendizajes que me hicieran sentir fortalecida para ir por lo que realmente deseaba hacer, que era emprender.

Resuelta a ir por mis sueños, jamás dejé de capacitarme y mis logros profesionales me permitieron formar parte de grandes empresas como EL DEBER, líder nacional en medios de comunicación, y ser gerente de marketing, comercial y de eventos de *startups* con presencia internacional.

Sin embargo, el miedo a no poder predecir lo que ocurriría si me lanzaba al agua con mi propia empresa me llevó a seguir trabajando para otros con un buen sueldo, a no salirme de mi zona de confort.

Coordinando un evento internacional fue que conocí a grandes empresarias y amigas que compartían el mismo objetivo y pasión por ayudar a otras mujeres a proyectarse y alcanzar el éxito. Juntas fundamos CIMEB, la Cámara Internacional de Mujeres Empresarias de Bolivia. A través de esta entidad sin fines de lucro logramos brindar asesoramiento, tecnología, capacitación y búsqueda de mercados nacionales e internacionales para la introducción de sus productos o servicios.

Empecé mi historia en CIMEB como directora de marketing y tecnología y luego de dos años de servicio desinteresado, pudimos ver con orgullo cómo muchas emprendedoras se convertían en empresarias gracias a nuestra labor.

Fue difícil dividir mis horas entre ser mamá y esposa y mantener mi trabajo pago mientras ayudaba en CIMEB.

Promoviendo estas actividades sin fines de lucro fue como conocí a Aida, la fundadora de LaCorp, con la que comparto la misma visión, y Cecilia, que con su experiencia financiera me dio la seguridad para emprender juntas. Acompañadas de la mano de Dios y motivadas por nuestro espíritu de servicio en pro de la mujer, decidimos unir esfuerzos y conformar el nuevo Grupo LaCorp con un equipo de trabajo a la altura de nuestros estándares, con un alto rendimiento y experiencia internacional. Todos tenemos la capacidad y la responsabilidad de desafiar aquello que nos impide perseguir nuestros sueños, y todo empieza con una decisión. Con el apoyo de mi familia tomé la decisión de confiar en Dios, en mí y en las grandiosas socias que hoy en día me rodean.

Actualmente soy fundadora-vicepresidente de CIMEB ad honorem y socia-directora general de todas las unidades de negocio del grupo LaCorp: MujerAudaz, LaAgencia y LaTiendaLatam.

Ambos trabajos están alineados a lo que yo llamo mi "propósito de vida", el cual es capacitar a la mujer con la Escuela Mujer Audaz, donde las afiliadas de CIMEB pueden tomar una variedad de cursos, talleres y conferencias gratuitas, y las que no forman parte pueden adquirir esto a un costo accesible.

La tecnología es un fuerte aliado de LaCorp y a través de ella logramos dar visibilidad y apoyo a las pymes (empresas pequeñas o medianas) con LaAgencia, que ofrece servicios integrales para ayudar a las mujeres a desarrollar marcas personales que las empoderen y las hagan liberar su potencial, así como marcas empresariales que enamoren y fidelicen a los clientes.

Las ferias y eventos son el corazón de LaCorp y CIMEB, que se unen para aportar su granito de arena a la reactivación económica del país. A raíz de la pandemia, esto se vio debilitado y LaCorp tuvo que reinventarse con nuevos socios e inversionistas, formando el ecommerce de LaTiendaLatam.

Este año logramos varias alianzas estratégicas importantes y tenemos la meta de abrir dos nuevas líneas de negocio y un sueño: estamos decididos a abrir un centro de capacitaciones y negocios con espacios de *cowork* y oficinas "efecto Google".

Todas las personas tienen metas y sueños y el trabajo diario para cumplirlos es una forma de perseguir y a fin de cuentas obtener felicidad.

Agradezco a Yaneli por la grandiosa invitación. Es un orgullo formar parte de este libro que lleva un mensaje a mujeres que buscan un modelo a seguir, creando un legado para actuales y futuras generaciones.

Lo que busco al contarles mi historia es motivar a esas mujeres que piensan que por ser madres ya no pueden seguir su carrera o continuar con sus sueños. Incluso en los momentos difíciles se debe mantener la motivación.

Un sueño es una especie de motivador constante para seguir adelante, para no bajar los brazos y seguir estudiando, trabajando o cumpliendo con la actividad que permita obtener dicha meta.
Perseguir los propios sueños no solo es importante para uno mismo, sino también para contagiar a todos aquellos que tienen una meta y no se atreven a seguirla.

Es fácil autolimitarse y decir "no puedo", pero no es tan sencillo cuando se tiene una meta por delante. Este ideal al que se espera llegar ayudará a sacar lo mejor de ti y a demostrarte que eres capaz de llegar a donde desees, sin frenarte ante ningún límite.
A veces los procesos son largos o difíciles, pero debemos recordar que, cuando Dios está en silencio, algo está haciendo

por nosotros y no debemos desesperar.

Por eso mi consejo es que confiemos en Dios y en que sus planes son mejores que los nuestros. No hay nada que pueda alinearse bien si no es a través de la gracia de Dios y es Él quien pone a las personas correctas en el momento justo de nuestras vidas. Hagamos del trabajo nuestra pasión, sin dejar de disfrutar de nuestra familia. Después de todo, al final de nuestros días, son ellos los que estarán allí para acompañarnos.

CARLA
CARLA

SUAREZ
SUAREZ
LICENCIADA EN ADMINISTRACIÓN DE EMPRESAS
CARLA
TURÍSTICAS Y HOTELERA
SUAREZ
EMPRESARIA CEO DE KARLYSHH CLOSET
FUNDADORA DEL MOVIMIENTO QUEEN
SUPPORTING QUEENS.

DOMINICANA *-LONG ISLAND, NY*

@THEKARLYSHHCLOSET @MVQUEENSSUPPORTQUEENS

18

SÉ LA
PROTAGONISTA
DE TU VIDA

Orden divino

Ni siquiera la hoja de un árbol cae sin que sea la voluntad del Padre. Entonces debemos tener bien presente que todo lo que nos sucede en la vida es parte de su plan, algo que no entendemos cuando el impacto es de sufrimiento, lágrimas y dolor. A mí también me ha tocado llorar; de joven sufrí un acontecimiento que me dejó grandes lecciones.

CARLA SUAREZ

Soy Carla Suarez, dominicana nacida en San Francisco de Macorís. Cuando tenía 14 años, fui atacada por la espalda por unas muchachas de mi barrio un miércoles por la noche. Yo siempre asistía a la Pastoral Juvenil en la Casa de Belén, así que era fácil saber dónde encontrarme. En plena oscuridad, me desgarraron el rostro y me dejaron tirada en la calle, pero Dios me mandó unos ángeles: personas de la iglesia que salieron más tarde de otra reunión me encontraron y me llevaron a la clínica.

En ese momento pensé que el mundo se me desbarataba encima por ser desobediente. Mi madre, quien ese día estaba fuera de la ciudad, me había prohibido salir de casa y yo me fui de todas maneras. Debía cargar con ese pesar: mi rostro tan joven en malas condiciones y la traición de mis amigas de entonces.

Fue un momento de mi vida en el que todo era oscuro, buscaba explicaciones. Mi familia estaba muy molesta, quería justicia, pero con las oraciones de mi madre las aguas se fueron calmando. Pasaron los días y mis heridas sanaron. Fue una de las primeras señales que me hizo entender que Dios está con nosotros en todo momento; que pudo ser peor, pero que Él me protegió; que las traiciones existen. Hoy puedo decir que no siento el más mínimo rencor, pues aquello fue parte de mi proceso de vida.

A los 18 años me fui a Miami a una pasantía como parte de mi carrera; estudié administración de empresas turísticas y hoteleras. Era la primera vez que estaba fuera de casa sola. Siendo la hija más pequeña y consentida, dejé atrás todas mis comodidades. Pasé mucho trabajo, hambre, días de lágrimas, aprendizaje y hasta arrepentimiento, pues a veces uno dice en su casa "quiero volar, quiero tener la mayoría de edad para irme", sin saber todo lo que te espera fuera. Ahí también vi la mano de Dios obrar en mí y demostrarme que no estaba sola. En Josué 1:9 dice "esfuérzate y sé valiente", y yo tomé esas palabras y me hice ver a mí misma que por algún propósito Dios me trajo hasta ahí.

Cuando hablo de esto, mi mente se traslada a donde está la persona que quizás me lee hoy día: un hospital, una cárcel, con depresión, con una enfermedad, con el dolor de la pérdida de algún familiar. Donde sea que te encuentres en tu proceso, te puedo asegurar que Dios está contigo. Todo es parte de su plan divino. Siéntete con la dicha de saber que dichosos son los que sufren, porque de ellos será el Reino de los Cielos.

Fuerza interior

Vivimos en un mundo acelerado donde todos se la pasan compitiendo. Andamos ansiosos, apurados, sin tiempo, corriendo desesperados para llegar de primeros sin saber a dónde, y nos pasamos la vida obsesionados por ser perfectos, tener juventud eterna, las mejores piernas, el rostro más bello, abdominales marcados, la mejor ropa, millones en el banco, fama, reconocimiento y ahora, ¡seguidores! ¡Queremos ser los mejores en todo! ¿Y para qué?, me pregunto. ¿Será que esta carrera loca realmente nos garantizará la felicidad y la paz interior o nos ayudará a tener calidad de vida?

Creo firmemente en que lo más importante en la vida va más allá de lo superficial y efímero. Lo más importante es tener un propósito, cultivar esa fuerza interior que nos permite seguir adelante a pesar de las dificultades. Es buscar una vida saludable, plena, feliz y serena. Es tener una vida con sentido, útil y productiva. Es disfrutar de los pequeños detalles. Una vida llena de amor, solidaridad y paz interior.

CARLA SUAREZ

¡Estamos de paso en este mundo! Tratemos de dejar una huella bonita, un legado a nuestros hijos y a la sociedad. Vivamos en el mundo sin ser esclavos de éste. Cuidemos nuestro cuerpo para tener una vida saludable y prolongada, pero sin obsesiones... ¡Solo nos llevaremos lo bailado y lo vivido! Todo lo demás se queda aquí. Sin embargo, debemos ser protagonistas de nuestras vidas.

Siempre he sido una persona que viste a la moda; me gusta combinar las prendas de vestir, estar a la vanguardia de los últimos estilos, por lo que muchas personas a mi alrededor empezaron a interesarse en mi estilo y preguntarme dónde compraba mi ropa. Un día mi esposo me sugirió que por qué no empezar a vender mis combinaciones, y así fue como emprendí mi gran negocio. Pero un emprendedor no nace, se hace. Y su proceso no dista mucho del de un niño que gatea antes de caminar, confiando en sus manos y rodillas, para luego empezar a dar pequeños pasos, caer y levantarse, y así crecer.

Empecé mi negocio como un hobby, comprando combinaciones de ropa que yo usaba en distintas tallas para vendérselas a mis amigas y personas interesadas. Pero la calidad de ciertas prendas no me satisfacía, y empecé a indagar cómo ofrecer otras que se adaptaran mejor a mis requerimientos de calidad. Entonces llegó la pandemia y las cosas cambiaron, pero yo decidí hacer de ese hobby mi gran emprendimiento.

Comencé a buscar cómo hacer mi propia marca y buscar proveedores que me ofrecieran la calidad de las prendas que necesitaba: mejores telas, mejores costuras, mejores acabados. Tomé la decisión arriesgada de invertir el dinero que con tanto esfuerzo había reunido para comprar mi apartamento y registré mi propia marca, The Karlyshh Leggins.

CARLA SUAREZ

A pesar de que en un principio sentí un poco de miedo a arriesgarme, ahora sé que el miedo es una sensación vital para todo lo que hacemos. Si esa sensación no está, entonces no es grandioso lo que estás haciendo. Gracias al miedo asumí mi riesgo y hoy tengo mi propia marca y sigo diversificándola, llevándola a pasarelas en Miami y la Semana de la Moda de Nueva York, donde este año presentamos The Karlyshh Shoes, una colección de hermosas zapatillas de plataforma y flats. Mi éxito me llevó incluso a la portada de la revista Gente Empoderada de Nueva York en su edición de julio del 2021.

Protagonista

La grandeza de un emprendedor no se mide en los triunfos obtenidos sino en las derrotas superadas. La vida siempre te va a poner obstáculos para darte la preparación y la seguridad de ir por aquello que quieres. Las emprendedoras también tenemos pérdidas, sobre todo económicas, pero si el enfoque es avanzar eso no te detiene. Los primeros años son de inversión total, y no solo hablo de dinero. El tiempo y la dedicación son unas de las inversiones más grandes y son las que mayores resultados te dejarán.

Ser emprendedor requiere de un gran esfuerzo (en mi caso soy la primera que se levanta y la última que se duerme y trabajo incluso fines de semana) y mucho sacrificio en cuanto a la calidad de tiempo familiar, pero siempre trato de buscar el equilibrio en ese sentido. Entre más crece tu emprendimiento, más puertas se abren a colaboraciones. Yo recientemente hice una con la comunicadora e influencer Sharmin Diaz. Lanzamos una colección de trajes de baño con zapatillas para primavera-verano 2021 que fue un éxito. En dos meses llegamos a estar *sold out*.

CARLA SUAREZ

Cada quien nace con una hoja en blanco en la que debe poner el título de su vida. No permitas que nadie escriba en ella, ese es tu papel. Los demás son tus invitados, pero la protagonista de tu novela, de tu vida, eres TÚ. Enfócate, no te rindas. Recuerda que hasta las rosas traen su espina. Cuando tienes fuerza interior y una vida serena, la adversidad es solo parte del paisaje y no puede perturbarte porque entiendes que es solo una prueba para medir tu fortaleza y que lo tienes TODO para superar cada obstáculo que se levante ante ti.

¡Somos más fuertes de lo que creemos! Cultiva tu fuerza interior, ¡mantén tu fe intacta! ¡Ten fe en Dios y en ti mismo! Si tú no crees en ti, no tendrás la fuerza para mantenerte firme y sereno ante la desdicha, la incertidumbre y el dolor. No permitas que te afecte tanto.

Piensa en esto: si te enteras de que morirás mañana, ¿a qué cosas les darías verdadera importancia?

CARLA SUAREZ

ANABEL

GARITA

ANABEL

GARITA

ANABEL GARITA

EXPERTA EN ORGANIZACIÓN Y LIMPIEZA DEL HOGAR

MEXICANA - *EL BRONX, NY*

@ANA_GARITA_

19

UNA INMIGRANTE NACIDA EN ESTADOS UNIDOS

Soy Anabel Garita y, a diferencia de muchos mexicanos, nací en Estado Unidos.

Tuve una niñez temprana normal: vivía con mis padres y hermanos en Nueva York, teníamos una linda familia con la que me sentía feliz y segura. Pero esto no duró mucho.

Debido a que el tiempo no perdona, como es normal, las personas van envejeciendo y llega un momento en el que ya no pueden estar solas. Eso fue lo que pasó con mi abuela. Ella vivía en México y como todos sus hijos habían emigrado se fue quedando sola, y mi papá tomó la decisión de que debíamos regresar para estar cerca de ella.

Así que nos mudamos a Puebla en México, a una casa en el campo al lado de la de mi abuela, pudiendo así lograr que ella se sintiera más acompañada.

Yo tenía 4 años y aunque era muy pequeña, no fue fácil para mí. Era un sitio totalmente diferente al que conocía; en comparación con las luces de la ciudad, era bastante desolador. Recuerdo que por la noche era todo oscuridad y eso me hacía sentir triste. Algunas veces lloraba y no sabía por qué; quizás porque no me acostumbraba a estar en ese sitio, extrañaba mucho mi antiguo hogar. Sin embargo, el tiempo fue pasando y fui sobrellevando la situación.

En 1998, a mis 16 años, mi padre se vio en una situación precaria y ya no pudo costear mis estudios. Teníamos varias necesidades y yo decidí regresar a Nueva York. Al principio él no quiso dejarme ir, pero al explicarle lo importante que era para mí hacerlo para continuar estudiando, pese a que él no lo entendía del todo me ayudó a hacerlo y, con la ayuda de un familiar, pude continuar el *high school*.

Yo estaba muy contenta, aunque fue un año difícil para mí. ¡Imagínense! ¡No entendía nada del idioma pese a haber nacido en este país! Pero me esforcé en aprender y me estaba sintiendo a gusto aquí.

Después de un año mi padre me dijo que debía regresar a México, a ese lugar desolador que nunca me gustó. Pese a que mi mamá estaba allá, decidí emanciparme y no regresar. No sabía en ese momento que la decisión que estaba tomando era toda una responsabilidad que conllevaba no mirar atrás.

ANABEL GARITA

Aunque siempre tuve techo gracias a mi tío, ahora me tocaba pagar mis propios gastos y aprender a hacer todas las cosas por mí misma. Afortunadamente, pronto empecé a trabajar gracias a una prima que me ayudó a conseguir empleo en una tienda. Era un trabajo agotador, pero me ayudaba a cubrir mis gastos.

Continué bien por un tiempo en la casa de mi tío, pero su familia empezó a crecer y a los dos años tuve que mudarme nuevamente; otro cambio en mi vida. Esta vez fui a la casa de mi tía, que igualmente me trató muy bien, y pude seguir trabajando.

Ese año mi papá regresó a Estados Unidos. Ya me había perdonado por no haber querido volver a México, y después de tantos años llegó con dos de mis hermanos. Al principio pensé que quizás ellos serían una carga para mí, pero mis hermanos de hecho fueron muy responsables, buscaron sus propios trabajos y me ayudaron a pagar la renta. Cuando logramos ahorrar lo suficiente como para mudarnos, pudimos hacerlo a un apartamento cómodo donde vivimos los tres ya de forma completamente independiente. (Mi padre volvió a irse a México).

Como ven, aunque nací en Estados Unidos me ha tocado sobrevivir como una inmigrante más. Comencé en una tienda de ropa como vendedora. También me tocó hacer labores de limpieza y era bastante tedioso; muchas veces los clientes eran malhumorados o groseros y yo tenía que atenderlos con mi mejor disposición.

Después de mucho buscar encontré trabajo en una cafetería. No era la mejor opción, pues me quedaba bastante lejos de la casa y tenía que pararme a las 4:00 de la mañana para llegar a las 6:00, pero me llené de paciencia y optimismo y puse todo de mi parte para que los clientes siempre estuvieran satisfechos con mi atención. Así me gané la buena estima de los dueños,

pero había días en los que el cansancio superaba mis ganas de seguir.
Luego de tres años me sentía agotada y estaba decidida a encontrar otro tipo de empleo que me permitiera descansar un poco. Empecé a conversar con algunos conocidos hasta que uno de ellos me recomendó aplicar a un trabajo en una factoría de galletas. El trabajo que ofrecían era un trabajo aún más demandante y agotador, pero no tenía que atender a clientes directamente. El pago era muy bueno y tenía muchos beneficios, así que decidí tomarlo.

Ahí trabajaba siete meses del año y descansaba tres, teniendo algo de tiempo libre para mí. Así pude comenzar una relación amorosa con alguien que me hacía sentir muy bien. Todo iba encaminándose en mi vida: me sentía económicamente estable, con una pareja que me amaba, y las cosas en mi familia estaban bien.

Pero de un momento a otro todo cambió. Mi relación linda y estable empezó a tambalearse y bruscamente terminó, comenzaron a surgir problemas familiares y la empresa donde había trabajado por seis años cerró, quedando yo sin empleo. Todo esto me hizo entrar en un estado profundo de tristeza; no tenía ganas de nada, no me arreglaba, no comía, solo quería llorar. Tenía pensamientos extraños, me sentía muy mal. Tanto que fui a consultar a mi médico, quien me diagnosticó depresión y, al verme tan mal, me recetó medicamentos para ayudarme.

Esos medicamentos me mantenían gran parte del tiempo dormida y sin voluntad ni para comer. Fueron tantos días los que pasé en ese estado que empecé a sentirme débil. Un día, al tratar de levantarme, me dio un fuerte mareo y caí de vuelta en la cama. Fue ahí cuando recibí lo que para mí fue un mensaje de Dios: una voz dentro de mí que me decía "levántate, lucha, no te dejes morir". Esa voz me hizo reaccionar, me hizo entender que no podía seguir así. Entonces empecé a tener más fuerzas; fue como si Dios no solo me despertaba de un mal sueño, sino que me daba su mano para ayudarme a salir adelante. Decidí dejar de tomar esas pastillas que me hacían sentir peor y poco a poco empecé a retomar mi vida, de la mano de Dios.

En cuestión de días volví a solicitar empleo en una agencia de limpieza de oficinas y me contrataron. Mi vida empezaba a tomar forma de nuevo. Mis problemas familiares también fueron desapareciendo y fui dejando de sufrir por ese gran amor. Mi trabajo era eventual, pero los periodos podían extenderse y, si trabajaba por seis meses, podía obtener buenos beneficios. Eso no llegó a ocurrir; me sacaban antes de ese tiempo. Y aunque me sentí muy mal no volví a deprimirme porque sabía que Dios estaba conmigo.

Un día trabajando se me acercó una compañera y me preguntó si quería tener un cargo fijo, a lo que respondí que sí sin titubear porque obtendría los beneficios que tanto había esperado.

Así empecé como *housekeeper* de una familia muy buena con la que pasé los siguientes ocho años. Me trataban muy bien y yo me sentía parte de ellos hasta que, en enero de 2020, la dueña de la casa falleció y después de unos meses su esposo decidió mudarse y dejarme a su gato. Yo no podía mantenerlo, pero era el gato de una mujer que había sido muy buena conmigo y no podía dejarlo solo. Tuna, como se llama, ahora vive feliz a mi lado y yo me siento muy bien de no haberlo abandonado, pues es como tener conmigo un pedacito de esa gran persona.

Hoy trabajo con una nueva familia. He progresado y mejorado mi calidad de vida y no me arrepiento de esa decisión que tomé cuando apenas tenía 16 años. Siento una gran motivación para seguir haciendo realidad mis sueños, que ahora incluyen lograr tener mi propia empresa y mi familia. Aunque me han dado noticias un poco desalentadoras en cuanto a mis posibilidades de tener un bebé, no desisto de mi sueño. He visitado a varios doctores en busca de uno que me dé esperanza, pues yo sé que es algo que podré hacer realidad, como todo lo que me he propuesto en la vida.

Aunque en alguna oportunidad pensé que mi vida pudo haber sido mejor si hubiese podido vivir aquí siempre, hoy al mirar atrás puedo decir que le doy gracias a Dios por lo que me tocó vivir y por las decisiones que he tomado. Todo ha servido para hoy estar donde estoy y me ha dado la oportunidad de contarles a ustedes mi vida, esperando que les sirva de inspiración y les dé fuerza para seguir adelante.

ANABEL GARITA

DRA. KLARA

SENIOR

DRA. KLARA

SENIOR

DRA. *KLARA* SENIOR

MEDICO ANTIENVEJECIMIENTO – SEXÓLOGA

VENEZOLANA-*MIAMI*

@DOCTORAKLARASENIOR FUNDADORA DE @TUSALUDINTIMA

20

A CADA PASO AGRADECIDA

Fui una niña enfermiza, consentida y sobreprotegida. Siempre tuve todo en la vida. Mi papá solía repetirme que mi único trabajo era estudiar, porque él me lo daba todo para que yo pudiese convertirme en una mujer profesional.

"Hija, estudia, porque lo que tienes dentro de tu cabeza, nadie te lo puede quitar. Jamás dependas de nadie. Ten un oficio y una profesión, porque si un día te toca como a mí, recomenzar de cero y no puedes ejercer tu profesión, tu oficio te ayudará a salir adelante".

DRA. KLARA SENIOR

Mis padres eran ambos hijos de inmigrantes y conocían los retos de quien reconstruye su vida. Yo nací en Caracas, Venezuela. Hoy creo que sus palabras se me quedaron grabadas en cada célula del cuerpo, porque nunca he parado de estudiar y de aprender oficios. Estudié Medicina en la Universidad Central de Venezuela y cursé un postgrado de Medicina Estética y Antienvejecimiento en Medellín. También hice una Maestría en Láser en la Universidad Autónoma de Barcelona, un postgrado de psicoterapia, un curso de locución y luego me especialicé en Medicina Antienvejecimiento en la Universidad John F. Kennedy de Argentina.

Cuando llegué a Estados Unidos hice un curso de locución, producción de radio y televisión (y aunque suene loco, hice hasta un curso de doblaje ¡muy divertido por cierto!). También me certifiqué como Coach de Salud, Vida y Sexualidad y acabo de terminar mi postgrado de Sexología Clínica.
Creo que para mí estudiar es como un vicio, así que, siempre que puedo, sigo aprendiendo.

Round 1

Tenía una vida feliz y tranquila hasta que mi papá enfermó y se desestabilizó totalmente mi hogar. Por malas decisiones económicas perdimos todo lo que teníamos, excepto nuestra casa, y quedamos completamente arruinados. El día que mi papá falleció, lo que teníamos eran deudas y no nos alcanzaba el dinero ni para lo más básico.

Para mí fue un shock verme sin nada, entender de golpe que era la única que podía hacerse responsable de la casa. Mi mamá y mi hermano estaban totalmente deprimidos y, cuando me detuve a verlos, supe que tenía que ponerme los pantalones para poder sacar a mi familia adelante.

DRA. KLARA SENIOR

Con ayuda y esfuerzo pude inaugurar mi primera clínica de estética y antienvejecimiento e iniciar un negocio que aún, hoy en día, me sigue dando satisfacciones.

Años después, en el 2010, por una "Diosidencia" (coincidencias que Dios dispone) me reencontré con la doctora Sofía Herrera (@tu_ginecóloga), hermana de una de mis mejores amigas del colegio, y la invité a trabajar conmigo en el Instituto Médico Esteti-K para que brindara los servicios de ginecología, salud íntima y sexual.

Fue una alianza súper exitosa. Hacíamos tratamientos en el consultorio, ella a nivel de la zona íntima y yo a nivel facial, y siempre que hablábamos coincidíamos en que las mujeres tenían un vacío existencial, una inconformidad, y buscaban solución en la estética cuando realmente su problema estaba en la zona íntima.

En el transcurso de estos años, pasaron muchas cosas en mi vida: me casé, tuve tres hermosos hijos varones, me divorcié luego de mi último embarazo y me tocó ser cabeza de familia y sacar adelante a mis hijos.

Pasé por muchas situaciones difíciles en mi país que me llevaron a tomar la difícil decisión de migrar. Había logrado, a pesar de la situación, construir un negocio exitoso. Pero fui secuestrada, me robaron mi carro, a mi clínica llegaban frecuentemente funcionarios a extorsionarme. Ya no podía sentirme en paz, ni dormir tranquila. Vivía con miedo y algo en mi corazón me dijo que me tenía que ir.

Round 2

Un día agarré mis dos maletas y a mis tres muchachos y,

sin pensarlo mucho, acepté un ofrecimiento de montar una clínica de Medicina Antienvejecimiento y Estética en la ciudad de Miami. La experiencia fue horrible (hoy la agradezco) y la sociedad no funcionó.

En ese primer intento de venirme a vivir a Estados Unidos lo perdí absolutamente todo: perdí todos mis ahorros, quedé cargada de deudas, me negaron la visa, el abogado de inmigración me estafó, perdí muchos amigos (muchos me dieron la espalda) y tuve que regresar a mi país "con el rabo entre las piernas" y una cantidad de sueños rotos.

Estuve apenas nueve meses en Venezuela trabajando duro para lograr obtener mi visa en Estados Unidos y emprendí nuevamente mi viaje de regreso, sin dinero y con un préstamo de 20.000 dólares que me hizo una de mis mejores amigas para poder mantenerme. Así, el 6 de diciembre de 2015, regresé a Estados Unidos con mi visa aprobada, un par de maletas llenas de sueños, poca ropa, muchas deudas, pero decidida a salir adelante junto a mis hijos.

Round 3

Pasé los primeros seis meses sin poder trabajar, gastándome el préstamo que me hizo mi amiga, hasta que logré obtener mi licencia como especialista en estética facial y empecé a hacer tratamientos a domicilio.

Un amigo me prestó dinero para financiar una máquina costosísima llamada ULTHERAPY (™) con la que viajé por varias ciudades del país (Orlando, Houston, Atlanta, California y Miami) haciendo jornadas de tratamientos de rejuvenecimiento facial por tres días en cada una.

DRA. KLARA SENIOR

Siempre mantuve la idea de volver a trabajar junto a mi socia, la Dra. Sofía, y la convencí de venir a vivir a Estados Unidos para poner en marcha el proyecto que teníamos.

Raspando la olla, nuestras tarjetas, pidiendo aquí y allá, logramos reunir el dinero para pagar y crear los primeros tres productos de nuestra línea de salud íntima: Vagiyoga, un entrenador del suelo pélvico; Libizenzs, un suplemento nutricional para elevar el deseo sexual de la mujer, y el Gel Intimo Femenino con Ácido Hialurónico para combatir la resequedad vaginal.

Creamos una plataforma web donde brindamos educación, productos y servicios de *coaching* para el área de salud íntima y sexual femenina y comenzamos a vender nuestros productos a través de las redes sociales.

Al principio fue muy duro. Ningún periodista quería hablar de menopausia, de vaginas resecas o de malos olores, hasta que finalmente nuestros ruegos fueron escuchados y Dios nos mandó un ángel llamado Ingrid Macher (@adelgaza20), una mujer increíble que estaba pasando por un proceso muy duro de salud, había sido diagnosticada con cáncer de mama. Ella nos invitó a participar en una transmisión en vivo desde su cuenta de Facebook, donde tenía más de 14 millones de seguidores, para hablar de los secretos de la vagina.

Esta transmisión nos hizo visibles a una inmensa cantidad de mujeres. Después de ese Live, luego de tres meses de fundada nuestra empresa, logramos vender nuestros primeros 10.000 dólares. O sea, ¡era increíble! Pero no crean que todo fue color de rosa. Saliendo del Live en Facebook nuestra página web "se cayó" y fue un verdadero dolor de cabeza.

DRA. KLARA SENIOR

Secretos para mantenerse de pie en el ring

Creamos una marca, Zenzsual, un programa de *influencers* y de embajadoras para impulsar nuestro mensaje. Luego de tres años trabajando en el cuidado de la salud íntima y sexual, hemos logrado vender más de 180.000 productos, tenemos más de 113 millones de reproducciones en nuestras redes sociales y más de 60.000 clientes satisfechos.

Hoy, después de tres años de fundada nuestra empresa y de seis viviendo en Estados Unidos, a dónde llegué con una mano adelante y otra atrás, me siento inmensamente agradecida con Dios, con este país, con nuestras seguidoras, con las mujeres y hombres que han confiado en nuestro mensaje de salud y bienestar. Me siento orgullosa de ser latina, emprendedora, madre de tres varones, *influencer* en redes sociales y feliz de haber comprado una linda casa para vivir tranquila.

Yo descubrí que, si lo sueñas de verdad, descubres tu misión de vida, le pones corazón, amas lo que haces y trabajas incansablemente, el sueño americano es posible. En mi caso, descubrí que la misión de mi vida es ayudar a otras mujeres, ayudarlas a sentirse bien dentro de su propia piel.

Y eso va mucho más allá de ayudarlas a empoderarse desde su salud íntima y sexual. También es parte de mi sueño apoyar a otras mujeres hispanas a lograr su propio sueño americano emprendiendo junto a mí y a mi socia en Zenzsual con nuestro Programa de Embajadoras de @TuSaludIntima.

Lo importante para mantenerse de pie en el ring es tener las metas claras, el suelo pélvico fortalecido y practicar cada día el agradecimiento.

DRA. KLARA SENIOR

Cuando llegué a Estados Unidos, cuando no tenía dinero, cuando lo había perdido todo, siempre miraba al cielo y agradecía a este gran país por haberme permitido traer a mis hijos, darles educación, seguridad y tener comida en la nevera. Toda esta experiencia me ha enseñado el poder del agradecimiento. En cada paso, en cada batalla, siempre pienso: Gracias Dios por esta nueva oportunidad de construir un nuevo hogar.

ZENIA
MORALES
ZENIA
MORALES

ZENIA MORALES

EMPRESARIA -ESTETICISTA

DOMINICANA- *FLORIDA*

@ZENIA.MORALS

21

DURMIENDO CON EL ENEMIGO

Nunca olvidaré el día que vi a mi primera hija muerta en mis brazos. Cuando los doctores me dijeron que tenía tres días de fallecida en mi vientre, solo pensé en dar a luz para demostrarles que estaban equivocados. Tenía seis meses de embarazo y los especialistas me medicaron para inducir el parto de inmediato. Esperé escuchar los llantos de mi bebé y por un momento llegué a pensar que estaba viva. Su corazón no latía. Fue un calvario que en realidad había empezado meses antes: mi hija era producto de un abuso a manos de mi novio cuando yo tenía 14 años y él 19. Lo que comenzó como una ilusión por un joven atractivo se convirtió en un infierno que viví por varios años.

¿Por qué te cuento esta historia? Porque quiero que sepas que una puede despertar y resurgir hasta de la peor pesadilla, superarse y aportar algo al servicio de causas sociales.

Nací en Santo Domingo, República Dominicana, en el seno de una familia muy conservadora. A los 14 años, mi papá nos trajo a vivir a Nueva York y poco después, en la bodega del vecindario, conocí a un joven simpático que comenzó a cortejarme con insistencia. Después de varias visitas a mi casa, nos hicimos novios.

Todo andaba bien hasta una mañana que me citó en su casa con la excusa de ayudarlo a limpiar. Yo iba en camino a la escuela y le dije que no podía, pero él insistió alegando que mis padres no se enterarían y acepté muy asustada; nunca había faltado a clases.

Desde que entré tuve un mal presentimiento. No me gustó para nada su actitud. Me insistió en ir a su habitación y, aunque yo no quería, terminé entrando. Mi corazón latía como si quisiera salirse por la boca. Con un tono agresivo él me ordenó que me sentara en su cama; me dijo que me mostraría fotos de su familia. Aterrorizada, solo asentí con la cabeza. Las piernas me temblaban.

Pronto empezó a darme caricias y besos, pero él no quería solo eso. Al ver que yo no le correspondía, se puso aún más violento. Empezó a forzarme. Me tiró en la cama y se subió encima de mí. Yo logré empujarlo. "¿¡Qué quieres!?", le pregunté muy asustada y confundida. "No me hagas esto, por favor".

En medio del forcejeo logró quitarme el pantalón. Yo solo gritaba que no me tocara, pero fue inevitable. Horas después salí llorando a casa con dolor en los brazos por el forcejeo. Me sentía mal, humillada, traumada. Fue un momento horrible. El mundo se me venía encima. Estaba destrozada. Me sentí violada aun cuando él no llegó a penetrarme.

Nunca le conté a mi madre lo que me pasó aquel día; yo era muy niña para entenderlo. Pasaron tres meses y no volví a hablar con él, que se paraba frente a mi casa de forma intimidante mientras yo lo ignoraba. Pero de repente empecé a tener náuseas y mareos.

Mi tía me preguntó si había tenido relaciones sexuales con mi novio y le dije no, que solo habíamos tenido un roce y que él nunca me penetró, pero que su semen me cayó en la vagina. No le dije que en realidad él me forzó por miedo a que ella se lo contara a mis padres y ellos tomaran represalias. "Estás embarazada", me dijo, y de inmediato llamamos a hacer cita en una clínica.

En ese momento volví a hablarle a él para informarle que debíamos ir al médico porque estaba sintiendo dolores en el vientre. Aceptó acompañarme. Cuando me tocó mi chequeo sentía la boca seca y una angustia tremenda. Mi tía tenía razón: estaba embarazada.

Mi novio parecía feliz ante la idea de ser padre y después del shock inicial yo también llegué a sentir ilusión. Lo que más me dolía era tener que sufrir mi realidad sola: por miedo, no quería contarle del abuso a nadie; nunca dije que mi novio me agredió sexualmente.

ZENIA MORALES

En la primera cita médica para saber cómo iba el embarazo, la doctora me explicó que iba a examinar al bebé por medio de una ecografía transvaginal, es decir, con un instrumento que se introduce en la vagina.

"¿Cómo así?", le pregunté. "A mí nunca me han insertado nada por la vagina, aún soy 'señorita'". Ella solo balbuceó "Sí, cómo no, otra Virgen María". Le insistí que no quería que me metiera nada y ella llamó a varios médicos para hablarles de mi caso. Una comitiva de cinco o seis doctores entró a la habitación para chequearme. Todos me inspeccionaron y comprobaron lo antes dicho: que era una señorita y que mi caso era poco común.

Al marcharse, mi doctora me dijo riendo: "Dile a tu novio que deje de ser flojo y termine el trabajo de hacerte mujer. ¿O no quieres ver a tu bebé para estar segura de que está bien?"

Mi novio, al ver esto, me dijo que nos mudáramos juntos para así terminar lo que había empezado. Yo me asusté mucho. Pero con un bebé en camino decidí que lo correcto era irme con él y así lo hice. Me escapé de mi casa mientras mis padres dormían, con la ayuda de mi hermana, aunque muy triste.

Esa noche mi novio me llevó a una habitación de mala muerte que había rentado hasta encontrar algo más cómodo, según me dijo. Lloré toda la noche y le reclamé lo que me había hecho. Él solo repetía que no quería perderme. No tuve más opción que permanecer a su lado por el embarazo; tenía miedo de ser madre soltera.

Sufrí mucho al pensar en mi familia. Después de nueve días, me armé de valor y fui a visitarlos. Estaba muy asustada, pues no sabía cómo reaccionarían. Mi madre me recibió con mucho cariño; mi papá nos saludó "normal", pero no estaba muy a gusto con la situación, él esperaba más de mí.

Unos meses después el médico me informó que mi bebé venía con una malformación. Me puse sumamente triste. A pesar de que fue fruto de un abuso, yo empecé a amar a mi bebé desde que supe que estaba embarazada. Ya me habían dicho que era niña. El doctor me preguntó si quería hacerme un aborto y le respondí que no: "Yo amo a mi niña y si Dios me la dio, que sea Él el que me la quite".

Cumpliendo los seis meses de embarazo, empecé a sentirme muy mal. Tenía fiebre, estaba botando un líquido que bajaba por mis muslos, la barriga se sentía muy fría y la bebé no se había movido desde hacía unos días. Mi mamá me llevó apresuradamente al hospital, las piernas se me oscurecieron (comienzo de gangrena). En los estudios que me hicieron salió que mi bebé llevaba tres días muerta en mi vientre.

El parto fue todo un reto. Cuando por fin di a luz, me colocaron a la niña en mis brazos y por un momento pensé que estaba viva, pero al ver la realidad no pude parar de llorar.

En ese momento, con mi niña aún en brazos, se me acercó una señora del grupo de la iglesia y me preguntó qué me pasaba. Tras explicarle lo sucedido me preguntó si quería bautizar a mi hija y le dije que sí. "¿Qué nombre te gustaría?", me dijo. Yo miré al cielo y sentí el espíritu de Dios que me decía: "Angelita". Le dimos sepultura en el mismo hospital.

Luego de esa pérdida en mi vida, terminé muy vulnerable. Por temor a una mayor tragedia familiar, me quedé con este hombre que se convirtió en mi esposo. Dependía de él emocionalmente por miedo e inseguridad. Pensaba que no podía volver con mis padres para no ocasionarles a ellos una vergüenza.

Con el tiempo procreamos dos hijos que se convirtieron en mi motor para salir adelante. A pesar del sufrimiento que vivía día a día con maltratos físicos y psicológicos, solo después de 10 años tuve el valor de dejarlo.

Tiempo después por fin pensé que conocí al gran amor de mi vida, un hombre que me hacía sentir viva y con quien tuve un hermoso hijo. Lamentablemente, esta relación tampoco funcionó.

Fue entonces que yo misma empecé a analizarme y darme cuenta de que tenía una dependencia emocional muy fuerte, y comenzó mi trabajo de superación. Busqué ayuda en libros, en talleres y conferencias de empoderamiento femenino, y hoy pertenezco a una comunidad llamada "El Secreto de un Futuro Mejor" en Nueva York, donde sigo aprendiendo y aportando valor a otras que al igual que yo están en este mundo de crecimiento personal.

A lo largo de los años nunca he dejado de pensar en esa primera hija que perdí, y de hecho fue ella la que me llevó a realizar un proyecto que hoy es mi pasión y misión de vida: la marca ZMO y Ángeles, creada con el fin de ayudar a niños discapacitados con un porcentaje de las ventas de productos como gorras, camisetas y tazas con frases inspiradoras.

Una de las cosas que aprendí con mi dura experiencia, que hoy es mi mensaje final para ti, querida lectora, es que no te quedes callada ni desperdicies tu vida al lado de una persona que no te valora. Si estás en una situación de abuso en la que te sientes atrapada, busca ayuda en tus amistades, tu familia, la iglesia, alguna fundación. Nadie tiene por qué ni debe seguir durmiendo con el enemigo.

ZENIA MORALES

Y si algún día llegas a sufrir una pérdida tan triste como la mía, solo aférrate a Dios; Él tiene un propósito mayor para cada uno de nosotros.

Desde el cielo, mi Angelita fue mi inspiración.
Te amaré siempre mi Angelita.

ELBIA
SÁNCHEZ
EMPRESARIA- PSICÓLOGA

ELBIA

SÁNCHEZ

ELBIA

SÁNCHEZ

DOMINICANA *-LONG ISLAND, NY*

22

VIAJANDO POR MIS SUEÑOS

M i nombre es Elbia Sánchez y nací en un hermoso campo llamado Las Lagunas de Moca en República Dominicana. Mi familia era muy humilde, pero honesta y alegre, y desde niña siempre supe que soñar y trabajar era la combinación perfecta para llegar al éxito.

Si algo me enseñaron mis padres fue a compartir hasta lo que no teníamos, y yo crecí conservando al máximo los valores que me inculcaron: soy una mujer sencilla, sutil, a veces frágil, a veces fuerte, muy amorosa. Vengo desde muy abajo, donde la pobreza es la abundancia, pero me siento muy orgullosa de eso porque me hizo ser la mujer empresaria y dedicada que soy hoy.

Desde muy pequeña y con muchas carencias supe que llegaría lejos. En 2003 llegué sola a Estados Unidos, un país nuevo donde solo conocía amigos y allegados sin papeles y sin un centavo en mi bolsillo, pues apenas tenía 18 años. Tuve varios trabajos al mismo tiempo: los fines de semana lavaba cabezas en un salón de belleza y en mis días libres limpiaba casas para poder sustentarme y pagar mis estudios. Como no podía trabajar legalmente en una cadena de supermercados, me permitieron limpiar y así fui aprendiendo cómo se manejaban las máquinas y la administración.

En mi vida recibí todo el amor de una familia de corazones bondadosos y eso es lo que aprendí, pero también tuve una característica diferente: desde niña quise llegar lejos. Fui la primera de mi familia en irse y le abrí un mundo de posibilidades a otros que también soñaban con hacerlo pero que no se atrevían.

Aprecio tanto lo que este país me brindó. Con mucho sacrificio y trabajo, cumplí mi sueño de ser una ejecutiva que hoy maneja 12 supermercados. Dirijo los departamentos de carnes y verduras, además de ser asesora de gerencia. Es un honor para mí representar y ser parte de America's Food Basket / Ideal Food Basket / Putnam Lake Market, una cadena que creyó en mí y que, una vez que pude poner mis papeles en regla, me contrató y me dio la oportunidad de ejercer una carrera en Nueva York.

Pero para llegar a ese cargo tuve que trabajar duro y demostrarles a mis jefes que puedo con cualquier reto, que siempre tuve claro cuáles eran mis metas. Comencé como cajera y de ahí pasé a ser asistente de servicio al cliente. De ahí ascendí a contadora, gerente de tienda y coordinadora de precios. Al demostrar mi potencial en todas esas ramas me ascendieron a gerente general y coordinadora de oficina.

Antes de tener documentos logré muchas cosas viviendo en este país, como perfeccionar el idioma y disminuir mi acento al punto que muchos me preguntan en qué parte de Nueva York nací. *Funny, ah!* Pero lo que no es *funny* (gracioso) es lo mucho que tuve que sacrificar.

En primer lugar, no pude ver a mi familia durante más de 12 años, pues si salía del país no podría volver a entrar. Sin embargo, esperé pacientemente y lo que no pude hacer con ellos lo reemplacé con acciones que me beneficiaran en el futuro. No me senté a deprimirme viendo cómo el tiempo pasaba; incluso las noches de llanto me sirvieron para limpiar el alma y me hicieron sentir más fuerte al día siguiente. Y es que no hay que tener miedo de llorar sino de no hacer nada para secar esas lágrimas.

La primera acción que sienta las bases para fortalecer y alcanzar cualquier sueño es sin duda la educación. Yo tuve la oportunidad de estudiar y graduarme de administración de empresas y psicología con derivado a la psicología industrial. Si te educas y le enseñas a tus hijos la importancia de la educación, los pondrás a ellos también en el camino del éxito. Luego debes entender el valor de creer y amar aquello que haces. ¿Has notado cómo hay personas que cocinan y el aroma de su felicidad se puede sentir en sus platillos? Eso es porque ellos creen en sus comidas y cocinar les sale del alma.

Para que tus logros transmitan eso mismo, el primer paso es tener tus sueños definidos. No puedes andar por el mundo queriendo atrapar sueños que no te pertenecen. Debes conocerte y saber qué es lo que más te apasiona. Muchos de nosotros vivimos en una fantasía donde creemos que en la vida solo soñando conseguimos las cosas. Pues te tengo malas noticias: los sueños sin trabajo y esfuerzo solo se quedan en eso, en sueños.

Segundo, debes hacer un plan de ejecución. Puede que te parezca algo insignificante en un principio y lo dejes para después, pero ese después se nos convierte en largos años e incluso en nunca. ¿Sabes por qué? Porque no tomamos la iniciativa de dar un paso hacia adelante. Y una cosa sí puedo afirmar: si tú, que eres el dueño de tus sueños, no tomas el control para cambiar tu vida y empezar a trabajar en lo que quieres, nadie lo hará por ti. La gente solo puede aconsejarte para bien o para mal, con y sin propiedad. Solo tú puedes estar seguro de lo que quieres y hacerlo realidad.

Muchas veces tenemos miedo de empezar porque no estamos seguros de que vaya a funcionar. Mi pregunta para ti es: ¿Y si no funciona, qué? ¿A quién le debes explicaciones? Métete en la cabeza que al único que le debes explicaciones de tus actos es a ti y solo a ti. Cuando aceptes que puedes fracasar y que eso no significará nada más que un aprendizaje, podrás conocer el éxito en un próximo intento.

Tercero, ¡atrévete! ¿Sabías que hay personas muy inteligentes que no conocen el éxito simplemente porque no se atreven a hacer nada que no esté dentro de su curso? Sí, hay mucha gente así y yo era una de ellas. Siempre calculaba cada detalle y nunca me atrevía a hacer nada porque sentía que estaba creando un torbellino que luego no sabría cómo calmar. Aprendí que no debo temer a mis torbellinos porque, si yo misma los inicié, yo misma los puedo apagar.

Cuarto, el amor... sí es bello, pero toda mujer que ha estado enamorada sabe que no es color de rosa para toda la vida. Así que a ti mujer, hombre, LBTGQ o cualquiera que lea esto, te aconsejo: ama y cumple los sueños de tu media naranja, pero recuerda cumplir primero los tuyos.

Seguro conoces a alguien que antes de enamorarse tenía talentos que prometían un futuro exitoso, pero nunca llegó a realizarse. Probablemente el amor se mezcló con sus sueños. Amar con pasión desmedida es hermoso, pero puede ser temporal. No dejes que te paralice.

Estos son en mi opinión algunos puntos básicos para emprender una vida exitosa.

Yo entiendo que la vida puede verse desde dos puntos de vista: el primero es tomar estos consejos y aplicarlos entendiendo que vendrán noches de amargura, trasnochos, puertas cerradas y mucha desilusión, y aceptando que para llegar al éxito todo eso tenía que pasar.

Este punto de vista indica que la vida es un camino con piedras y zanjas que te harán caer y tropezar, pero que tú sabrás seguir porque tu interior te dice que es el camino correcto y tú confiarás en tu instinto.

Muchos te dirán que tu idea no funciona, no es la moda, estás loco(a), no es aceptable, no podrás llegar, es muy grande, es muy pequeño y muchas cosas más. Mi consejo es que seas sordo y ciego a esas opiniones y continúes; es la única forma en que podrás demostrar lo que ya tu mente y tu corazón decidieron junto con el universo.

El segundo punto de vista es pensar que de cualquier modo un día morirás y no habrá nada. Eso te podría llevar a no interesarte en perseguir tus sueños o a criticar a otros que trabajan por los suyos. Cuando veas el éxito de aquellos que optaron por ver la vida de manera positiva, trata de no decir nada que no sea para felicitarlos y apoyarlos, o al menos quédate callado(a) porque no sabes de lo que estás hablando.

Aprovecha tu tiempo. No te concentres en ver cómo los demás avanzan; toma el timón de tu vida y acelera sin mirar atrás. Recuerda que esta vida es solo una y si la pierdes no tendrás una segunda oportunidad.

Decide si quieres vivir sonriendo y haciendo lo que te gusta sin dañar u ofender a nadie o ver cómo la vida se te pasa sin llegar a hacer algo que podría llenarte.

Y recuerda esto siempre: no es suerte lo que necesitas para realizar tus sueños; es mover el trasero y salir a buscarlos.

ELBIA SÁNCHEZ

GRACE
MERCEDES
ADMINISTRADORA DE EMPRESA,
CEO BOOK FLASHES BY GRETSHA
CO-FUNDADORA MV QUEENS SUPPORT QUEENS

DOMINICANA -NJ

@BOOKOFLASHESBYGRETSHA @MVQUEENSSUPPORTQUEENS

23

UNA MUJER RESILIENTE

La resiliencia es la capacidad de una persona de superar momentos traumáticos en su vida con la certeza de que saldrá adelante, y sin duda es una palabra muy adecuada para los que les voy a contar.

Mi nombre es Grace Mercedes, también conocida como Gretsha. Soy madre de dos varones que son mis grandes tesoros, un adolescente de 17 años y un niño de 2, además de esposa y empresaria.

GRACE MERCEDES

Soy una de tantas personas cuyos padres emigraron a Estados Unidos en busca de un futuro mejor y terminaron criando a sus hijos en su país de origen. Nací en Nueva York, pero mis padres se regresaron a la República Dominicana cuando era muy pequeña. Crecí con mi madre en un pueblo llamado San Francisco de Macorís donde terminé el bachillerato. Decidí continuar mis estudios universitarios en Estados Unidos, con lo que, a mis 17 años, me tuve que emancipar. Tuve que probar que era lo suficientemente capaz de mantenerme sola.

Ya estando aquí, mi novio, que vivía en República Dominicana, también decidió mudarse y no solo nos casamos, sino que nos convertimos en padres siendo aún adolescentes.

Ser madre adolescente nunca me limitó con mis estudios. Al contrario, asumí el rol de madre, esposa, trabajadora de tiempo completo y estudiante. Al principio fue un proceso confuso y difícil, pero salir de un hogar matriarcal, con una madre soltera, siempre me hizo más fuerte.

Durante mi primer matrimonio llegué a vivir una vida de lujos y mucha opulencia. Mi esposo heredó de su padrastro un negocio de multiservicios de celulares, reparaciones y envíos, y ambos trabajamos y lo hicimos muy exitoso siendo apenas unos jóvenes de 18 años. Pero dentro de toda esa vida de lujos y cosas materiales no había un matrimonio feliz: con el paso de unos años, ya no éramos esos adolescentes que nos queríamos comer el mundo juntos; teníamos metas diferentes y tomamos caminos separados.

El divorcio marcó un antes y un después en mi vida y me llevó por momentos muy oscuros. Mi calvario comenzó cuando, de ser una mujer con todas las comodidades, disponibilidad de dinero y un trabajo estable, pasé a ser una madre soltera, sin trabajo y sin dinero. Al separarme de mi esposo, el negocio que compartimos dejó de ser mío por la división de bienes; el flujo de dinero era inexistente porque no tenía trabajo, mucho menos dónde vivir.

Toqué muchas puertas de personas que en su momento pensé eran mis amigos, pero no eran amigos míos, eran amigos de la posición que yo sostenía dentro de mi matrimonio.

Me vi acorralada y llena de miedos. Pensaba que no merecía lo que me estaba sucediendo. Fueron muchos momentos de incertidumbre donde tuve que pasar un tiempo en casa de una amiga y enviar a mi hijo, que ya tenía 6 años, a vivir con mi madre.

Creo que desprenderme de él ha sido y será el momento más traumático de mi vida. Recuerdo ese día que lo llevé al aeropuerto y me dijo con su vocecita: "Mami, no me quiero ir sin ti". Yo, con lágrimas en los ojos, le contesté: "Siempre estaré contigo, aunque no me tengas cerca". Pero en ese instante sentí que el mundo se me caía encima.

Pasé noches enteras sin dormir buscando respuestas que en ese momento no llegaban a mi mente. ¿Qué hice mal? ¿En qué fallé? ¿Qué habría podido cambiar?

Tras su partida a la República Dominicana, estuvimos en constante comunicación. No hubo llamada telefónica en la que el niño no me preguntara cuándo regresaría conmigo. Sus palabras retumban constantemente en mi cabeza y volvía a cuestionarme qué había hecho mal, por qué estaba pasando por esta situación sin merecerlo.

No obstante, dentro de mí también había otra voz que me decía:

GRACE MERCEDES

"Puedes salir adelante, hazlo por tu hijo, él está esperando por ti". Esto me impulsaba a sacar fuerzas para salir de ese momento tan eclipsado de mi vida.

Nunca pensé que podría pasar por una situación así. Al ver a mi madre criarnos sola, siempre me dije que trataría de cuidar mi matrimonio para criar a mis hijos con su papá. Pero el propósito de Dios era otro y tuve que vivir estas adversidades.

Durante todo ese proceso llegué a dormir en un sofá más de dos meses en la casa de una amiga. Comía una o dos veces al día porque era lo que lograba costear y aunque ella jamás se negó a ayudarme, yo no quería seguir molestando.

Hubo muchos días grises donde no paraba de llorar, pero yo soy muy creyente en Dios y sé que nada de lo que nos pasa en la vida es casualidad, son procesos que nos tocan para poder disfrutar lo que Él nos tiene guardado.

Cada mañana me levantaba con más deseos de salir adelante. Trabajé limpiando casas, repartiendo comida, solo para poder subsistir. Todos fueron trabajos temporales, por eso era tan difícil conseguir una estabilidad económica. Era casi imposible levantar cabeza, como dicen.

Cuando me vi desesperada sin trabajo en Nueva York, decidí que era hora de cambiar de aires, necesitaba buscar nuevos horizontes y me mudé a Nueva Jersey, un estado con un estilo de vida más tranquilo donde tuve que comenzar desde cero. Me tocó bajar un poco la intensidad y pasar de ser una neoyorquina acelerada a ser una Jersey Girl calmada. Cuando ya pude conseguir un trabajo estable como *office manager*, conocí a un hombre maravilloso que es mi actual pareja.

Él me brindó la estabilidad emocional que yo andaba buscando. Después de dos años y medio pude traer a mi hijo de regreso conmigo, que era lo que más anhelaba y le pedía a Dios todos los días. Papá Dios me bendijo aún más cuando me regaló la oportunidad de ser madre por segunda vez, luego de 15 años.

En la actualidad vivo con mi actual esposo y mis dos hijos en un hogar estable y luchando cada día por mis metas. Esta nueva vida que yo elegí me regaló el deseo de volver a emprender en un nuevo negocio, mi marca de pestañas Book of Lashes by Gretsha, que por la gracia de Él ha sido bendecido y que cada día crece más y más.

Tú vida no está definida por dónde comienzas sino por dónde terminas. Quiero que tú que me lees sientas que, si yo que pasé por esto pude salir adelante, tú también puedes ser una mujer resiliente. Que el éxito está en caerse ocho veces y volver a levantarse nueve sin miedo; yo perdí tanto que hasta el miedo a perderlo todo perdí.

Quiero también agradecer a mi familia por nunca dejarme sola, ellos siempre serán mi bastón. En especial a mi madre y mis hermanas que creyeron en mí aun cuando yo misma no creía. Sepan que todo pasa, nada pero nada en la vida es para siempre. Solo hay que poner a Dios primero en lo que hagas y ser, como me considero a mí misma, una mujer resiliente.

#bookoflashesbygretsha

FIFI ALMONTE

FIFI ALMONTE
ACTRIZ

FIFI ALMONTE
FIFI
ALMONTE

DOMINICANA-*NY*

@FIFIALMONTE

24

NO TE CANSES DE INTENTARLO

A temprana edad tuve actitudes de quién quería ser en un futuro. Desde niña me gustaba transformarme, maquillarme, ponerme pelucas, hacer diferentes personajes sin saber que con el tiempo mi sueño sería convertirme en una gran actriz.

Hija de Inocencia Almonte, madre soltera de cuatro hijos de los cuales yo soy la única hembra. Nací en un pueblo llamado La Vega en mi querida República Dominicana y mi pasión por actuar siempre brotó por mis poros, por lo que a los 14 años me inscribí yo misma en clases de actuación, aun cuando a mi madre no le gustó mucho la idea.

Mi primera experiencia fue con un profesor peruano, Carlos Mercado, en una escuela llamada Star Center que me trajo gratos momentos. Uno de ellos fue conocer a mi mejor amigo, Carlos Batista (Cuky), hoy más que un amigo un hermano.

Empecé a participar en programas de TV, específicamente en concursos. Uno de ellos fue el "Miss Minifalda" del desaparecido programa "Sábado de Corporán", donde obtuve el 2do lugar. Ahí tuve la oportunidad de conocer al dramaturgo Franklin Domínguez, quien se acercó a mí y a otra muchacha que había participado en el concurso y nos dijo que necesitaba "dos chicas bonitas" para su próxima obra, "Colón, agua y apagón", que iba a presentarse en el Teatro Nacional.

¡Clarooo que no iba a desaprovechar esa gran oportunidad de estar por primera vez en un escenario! Hacía el personaje de una india y bailarina que no tenía diálogos, pero eso no me importó. Ningún comienzo es fácil; son desafíos, aprendizajes, experiencias que te van forjando como profesional y te prueban a ti mismo que con diciplina, dedicación y esfuerzo puedes cumplir tus metas y realizar tus sueños.

Ese fue el verdadero comienzo de una gran carrera como actriz. Ese pequeño papel me bastó para enamorarme del teatro. Es que actuar en un escenario es una verdadera magia. El solo hecho de poder estar el público tan cerca es una gran emoción. De ahí decidí estudiar a un nivel más profesional y me inscribí en la Escuela de Arte Dramático de Bellas Artes, donde pasé tres años. En ese entonces nos reuníamos en una azotea, lo cual era una odisea debido al calor intenso, pero para nosotros que nos apasionaba lo que hacíamos era toda una aventura.

FIFI ALMONTE

Me gradué como técnico en arte dramático y empecé a trabajar con diferentes directores de teatro, como Haffe Serulle y Giovanny Cruz. Un día, caminando por la calle El Conde, me encontré con otro gran director, Rubén Echavarría, con el cual también había trabajado. Él, que ya me conocía, me dijo: "¡Fifi, tienes que ir a ver a Franklin Domínguez que va a hacer una obra de teatro y ese personaje eres tú!"

Imaginen, yo acabada de salir de la escuela sin mucha experiencia fui a ver a Franklin, el mismo que me había dado mi primera oportunidad cuando tenía 14 años, y coincidentemente este sería el gran papel que me daría a conocer.

Quiero destacar que a Franklin Domínguez lo considero como mi "padre del teatro", pero conseguir que me diera ese personaje no fue así nomás; él inicialmente quería para el papel a Carlota Carretero, una primerísima actriz, y cuando me lo dijo mis ánimos se fueron abajo. "Bueno, no me lo va a dar", pensé al ser una joven desconocida, y me fui.

Pero pasaron algunos días y me lo volví a encontrar en la azotea de Bellas Artes. "Carlota no va a poder hacer el personaje", me dijo. "Me gustaría hacerte una prueba. Puedes venir mañana en la mañana aquí mismo". Di un gran salto y respondí: "¡Claroooo que sí profesorrrr". Así le digo todavía; él también fue uno de mis maestros en la escuela.

LA GRAN PRUEBA

El día llegó y entré a la oficina, donde tuve el gran honor de conocer a la primerísima actriz dominicana Monina Solá y más aún saber que con ella era la gran prueba de actuación. Desde que nos vimos hubo una química instantánea. Por esa obra de teatro nació entre nosotras un amor inquebrantable. Si Franklin es mi "padre del teatro", a ella la considero mi "madre". Ambos son hoy mi comadre y mi compadre.

"BAILEMOS ESE TANGO"

Así se llamaba la obra y yo interpretaba a una prostituta de cabaret alocada. Desde que empecé a leer el libreto también sentí que el personaje era yo. ¡Pero no vayan a creerrr que soy así! Jajaja... Es solo un personaje y como actriz una lo asume y se mete en su piel. Además, me gustan los personajes difíciles de interpretar porque así una puede demostrar qué tan buena es para desdoblarse como actriz.

Luego de leer la obra con Monina Solá, Franklin me preguntó: "¿Tienes buenas piernas?" (el personaje salía en bikini). Y yo tímidamente le respondí: "Creo que sí". Le preguntó a Monina qué tal lo había hecho, ella le contestó que muy bien, y ahí mismo Franklin me dijo: "El personaje es tuyo".

"Bailemos ese tango" resultó una obra maestra. Todos los personajes son importantes y se lucen. El libreto es maravilloso. La dirección fue excelente. Con decirles que al año siguiente nos nominaron a los Premios Casandra en cinco categorías: mejor actriz principal, mejor actor principal, actriz secundaria (¡a mí!), mejor director y obra del año.

Yo no podía creer que estaba nominada. ¡Guao! Era como un sueño.

Pero no todo lo que brilla es oro... Siempre hay personas que tratarán de desanimarte para destruir tus sueños y que no puedas llegar a tus metas.

Muchos al parecer no soportaron que me hayan nominado con tan solo 19 años. Una actriz se me acercó y con tono irónico me dijo: "¿Tú crees que a ti te van a dar ese premio? No lo creo, porque siempre se lo dan a gente vieja".

Hoy formo parte del mural de actores del Teatro Nacional, que celebra a los más grandes talentos del teatro dominicano.

LLEGÓ EL GRAN DÍA

"Y el Casandra para mejor actriz secundaria 1995 es para... ¡Josefina Almonte!" (En ese entonces todavía no me había cambiado el nombre a Fifi).

Cuando subí a recoger mi premio me temblaban las piernas, apenas podía hablar. Lo único que pude decir fue: "Ehhh, ehhhh, ¡gracias!" Salí tambaleándome de lo nerviosa que estaba. Pero no gané solo yo: la obra arrasó con cuatro de los cinco premios a los que aspiraba.

MI ENTRADA A LA TELEVISIÓN

Ya tenía un premio como actriz cuando, en 1996, Luisito Martí estaba produciendo un programa de TV llamado "De Remate" y buscaba actores profesionales. Así fue que recibí una llamada de la actriz y productora Aidita Selman; a ella le debo mi entrada a la televisión. Me preguntó si quería pertenecer al elenco del cuadro de comedias del programa y, aunque no tenía ningún tipo de experiencia como comediante, acepté.

Luisito Martí era la disciplina hecha hombre. Gracias a él y a Angelita Curiel, la directora del cuadro de comedias, aprendí a improvisar en la TV, pues actuar en teatro es muy distinto a hacerlo en televisión. En este proyecto empecé en el año 1996. Las comedias eran bien escritas, bien actuadas, y algo que me encantaba es que el señor Luisito no permitía que se hicieran comedias vulgares, de doble sentido, ya que era un programa para toda la familia. El cuadro de comedia estaba conformado por cuatro actores de teatro: Manolo Ozuna, Seferina Liriano, Victor Pinales y Fifi Almonte. Ahí permanecí seis años.

ESTUDIOS SUPERIORES

Yo siempre con ganas de superarme y aprender algo diferente, estudié en la Escuela Nacional de Locución Profesor Otto Rivera, donde me hice locutora.

También me inscribí en la Universidad Autónoma de Santo Domingo a estudiar cinematografía mención televisión cuando aún no se hacía mucho cine en el país; no había muchos estudiantes y esa carrera como tal apenas nacía porque antes estaba a nivel técnico. Cuando yo estudié, la pusieron a nivel de licenciatura, así que luego de batallar varios años finalmente, en el 2001, yo y otros dos estudiantes, Shandy Cuesta y Ernesto Baez, fuimos los primeros en recibir ese título. Me gradué cum laude y la universidad me regaló el anillo. Ese fue otro momento inolvidable para mí.

TELEMICRO CANAL 5

Ya en el año 2001 me llamó Bolívar Hidalgo (Bolivita), uno de los mejores libretistas que tiene Telemicro a quien debo mi entrada al canal, para ver si me gustaría trabajar con Raymond Pozo y Miguel Céspedes en un programa nuevo que ellos iban a producir llamado "Titirimundaty", donde pasé los siguientes 16 años.

Pero mi mayor logro y bendición en esa época llegó el 7 de septiembre del 2008, cuando nació el amor de mi vida: nació, mi hijo adorado, Jonell Sebastian Morales Almonte.

FIFI ALMONTE

MI MENSAJE A TODOS LOS SOÑADORES

A todos esos soñadores que quieren ser alguien en la vida, no dejen de intentarlo, no se dejen llevar por personas que les digan "no puedes lograrlo"; esos son individuos que no lograron nada y tampoco quieren que tú lo logres.

Mi camino artístico siempre estuvo lleno de retos y tropiezos, incluyendo acoso sexual. Una vez un director de cine me invitó a participar en su película a cambio de estar con él en la intimidad, y clarooo está que no accedí. Me sentí humillada. ¿¡Cómo podía ser posible que a una actriz profesional le propusieran algo así!? En todos los ámbitos de la vida siempre podrá haber acoso, envidia, bullying, personas negativas. Mi consejo es:

Mantente enfocado, persigue tus sueños, sigue avanzando hacia tus metas.

Los ganadores son perdedores que se levantan y lo intentan otra vez.

Las cosas toman tiempo, solo ten paciencia porque el tiempo de Dios es perfecto.

DHARIANY
DARIHANY
VALERIO
VALERIO
SPEAKER-COMUNICADORA

DARIHANY

VALERIO

DOMINICANA -*NJ*

@DHARIANYVALERIO CEO @MADREYMUJERTAMBIEN

25

MADRE Y MUJER
TAMBIÉN

Aquella mañana sentí un inmenso temblor cuando esa prueba de embarazo dio positivo. Mi primer pensamiento de aquella bomba que estalló en mi cabeza fue: "Se terminó mi carrera". Mi corazón latía como si no hubiera mañana.

Me sentí confundida, con la visión nublada. Como si me hubieran despertado de un sueño profundo con un balde de agua fría o, mejor dicho, helada.

Pero aquella mañana de domingo poco a poco empecé a aterrizar y a visualizar que dentro de mí crecía el fruto del amor. Luego de sentirme arropada por una ola de miedo e incertidumbre, de la nada comencé a mirar la historia con otros ojos.

Allí despertó el primer sentimiento de maternidad. ¡Bienvenida a tu nuevo mundo Dhariany! "Serás mamá".

Ahora que lo pienso, en aquel instante se cayó ese velo que separaba a la mujer de la madre y fue ahí que me convertí en MADRE Y MUJER TAMBIÉN. Claro, yo no sabía entonces que eso me estaba sucediendo; ahora es que puedo verlo todo con claridad.

Y me pregunto: ¿Quién nos educa para pasar de un rol a otro en esta etapa en la que la maternidad abraza tu vida?

Comencé a desaprender y despegarme de ese ego, de ese "yo" tan marcado e individualista que tenemos cuando solo nos dirigimos a nosotras mismas.

Con lo desafiante que es el embarazo para algunas, y con todo lo que yo viví en el mío, llegó el nacimiento de mi primogénita, mi niña Riany. Y con ella aprendí justo eso que te cuento.

Ya mi vida no giraba en torno a mí solamente. Tanto así, que la experiencia de madre primeriza me encerró en una burbuja aislada de todos, incluso de mí misma. Desarrollé la conducta de madre sobreprotectora hasta el extremo, y los extremos no conducen al equilibrio. Siempre estaba en casa y el trabajo a cargo de todo, la crianza de hija, el hogar, las finanzas... Tejí los más dulces y amargos momentos aprendiendo cómo ser mamá "sin un manual", con aciertos y desaciertos.

DHARIANY VALERIO

En esa burbuja me mantuve ajena a una realidad: la realidad de que tenía que ser madre SIN DEJAR DE SER MUJER. En ese momento, como mujer, sufría a diario. Lloraba un mar de lágrimas a causa de la depresión postparto, la ansiedad, el desánimo.

Aquello era tanto, que al enfocarme en el rol de madre puse en pausa mi "Yo Mujer", su crecimiento, su dignidad, sus prioridades, sus sueños y sus deseos.

Me preguntaba, ¿dónde quedaron tus talentos, mujer? ¿Qué enterró tus ganas de echar hacia adelante? ¿Qué pasó con esa magia conquistadora de la que todos hablan?

Estas mismas interrogantes empezaron a iluminar mi camino una vez más, a invitar a la mujer que había quedado atrás a resurgir, a que renaciera ese amor propio y me reinventara para lo que eventualmente sería mi propósito de vida.

Luego de este despertar donde empiezo a buscarle nuevamente sentido a mi vida, salí embarazada otra vez con todo y que tenía un dispositivo intrauterino.(DIU, método anticonceptivo). "NO, NO, NO". Yo no quería otro bebé y lo digo sin culpas ni prejuicios. No lo planeé. Sin embargo, tras el shock inicial recibí ese embarazo como el más lindo regalo.

Pero ese mismo embarazo que no buscaba a los cuatro meses se convirtió en una amenaza de vida o muerte. Todavía recuerdo aquella madrugada a las 5:00 AM, de esas que nos levantamos para ir al baño en el embarazo, cuando tuve un sangrado tan grande que me fui manejando al hospital. Horas después el director de pediatría me informó que tendría que interrumpir mi embarazo y terminar con la vida de mi baby Ciara, porque lo más probable era que ella muriera o también muriera yo.

Ese momento marcó un antes y un después en mi vida. Desde aquel día no fui la misma. No puse fin a mi embarazo; decidí luchar por mi hija y cuidarme yo para que ambas viviéramos. Entonces comenzó el reposo total, aunque no sé si "total" sea una exageración pues atendía a Riany, entonces de 2 años. Al séptimo mes ya había pasado cuatro episodios de sangrados y por temor a uno nuevo que pudiera ser fatal la doctora decidió hospitalizarme hasta la fecha de parto.

Durante ese tiempo estuve sola sin poder recibir visitas, ni siquiera de mi niña Riany. Pude sentir la necesidad de reordenar y priorizar mi vida y, con eso, las de mis hijas. Comencé a seguir una rutina devocional que cambió mi mentalidad. Me tomaba el tiempo para escucharme, sentirme y profundizar verdaderamente en quién me estaba convirtiendo.

Aprendí qué no quería en mi vida, qué no me funcionaba ya. Empecé a conectar con otras embarazadas hablando de los retos de la maternidad y otros temas de interés en Instagram.

Al cumplir con la fecha pautada nació mi bebé saludable y, por la voluntad de Jehová Dios, todo procedió en orden. Llegamos a casa y todavía recuerdo lo extraña que se sentía Riany y yo misma de estar de vuelta en aquel lugar que era mi hogar. Poco a poco fui retomando mi vida y en ese proceso la luz que anteriormente me direccionaba a reinventarme me volvió a inquietar.

Recuerdo que durante una sesión de terapia encontré respuestas puntuales acerca del cumplimiento de mi propósito de vida. Y entendí que podía combinar mi amor por la comunicación y el servicio de ayudar teniendo la gracia y el don de inspirar a otros. Servir y comunicar lo que Dios me ha depositado es mi propósito de vida.

Busco constantemente vivir con ambos roles en equilibrio, madre y mujer, a través de la herramienta de la planificación. Así fue que nació mi marca "MADRE Y MUJER TAMBIÉN" by Dhariany Valerio, un concepto que se apoya desde lo que le funciona a la madre y mujer de estos tiempos.

PASOS PARA LOGRAR EL EQUILIBRIO COMO MADRE Y MUJER:

El primer paso es aceptar que tienes ambos roles y no creer que uno es más importante que el otro; ambos son importantes.
A lo largo de los años, la sociedad nos ha medido con parámetros que no necesariamente nos funcionan. Es muy común oír o pensar "eres mamá y por ende te tienes que olvidar de la mujer que eras antes".

Muchas veces tenemos muy presente nuestro rol de madre y la única prioridad son nuestros hijos: estar atenta a la cita médica, si comieron, si tomaron la siesta, si están limpios, si están recibiendo la educación correcta. Y como madres este es exactamente nuestro rol y si estás al pendiente te lo aplaudo.
Lo que no puedo celebrarte es que, como mujer, no recuerdes sacar el tiempo para tus chequeos médicos anuales. No te celebro que no priorices tu cuidado de salud, que no descansas o duermes lo necesario. En ocasiones hasta olvidamos cuidar de nuestra imagen y a la hora de invertir en ese taller de crecimiento buscamos "excusas" para no hacerlo.

Entonces mujer, no quiero cuestionar cómo vives tu rol de madre, pero lo que sí quiero es motivarte e inspirarte a que te priorices como mujer, que encontremos el equilibrio para cuidar nuestros hijos, pero también cuidarnos a nosotras. Porque si tú estás bien, tus hijos también. Y esto aplica para todas, en circunstancias sumamente retadoras como la crianza sin soporte, hijos con necesidades especiales que requieren de asistencia profesional o cualquiera que sea tu caso.

El paso número dos es estar consciente de la importancia que tiene el equilibrio de ambos roles, y buscar herramientas que te acerquen al mismo.

Te confieso que para mí la planificación lo es todo. Me ayuda a agendar mis tiempos de #MujerTambién y no vivir en piloto automático, a priorizar ese tiempo para mí.

Por ejemplo, mi agenda podría incluir: "Disfrutar de un rico café acompañado del verdor de mi patio". Esa soy yo, MADRE Y MUJER TAMBIÉN.

La mujer es aquella que se cuida y se mima a sí misma, se celebra sus logros, disfruta todo lo vivido y por vivir, y trabaja para convertirse en todo aquello que le apasiona.

La madre es quien educa, cuida, protege, alimenta y provee el amor y cuidado que todo hijo necesita. En definitiva, es ser una guía y una referencia para nuestros hijos mientras les ayudamos a ser independientes, transmitiéndoles amor y respeto.

Ahora mi invitación para ti es que trabajes para llegar a ser ambas cosas. Tú puedes ejercer ambos roles con el equilibrio que amerita, sin descuidar uno o el otro.

Quiero cerrar diciéndote a ti, madre y mujer también: "Este es el inicio de mi carrera".

Con el corazón agitado, pero con mayor certeza y plenitud, elijo vivir en equilibrio sin olvidarme de la madre y mujer que soy. Síguenos en @madreymujertambien by Dhariany Valerio.

DHARIANY VALERIO

#Mujertambien

TU NOMBRE:

TU HISTORI.

TU HISTORIA

EMPIEZA AQUÍ

@

26

TU HISTORIA
EMPIEZA AQUÍ

TÍTULO: _____

_____

_____

_____

_____

_____

_____

_____

TU HISTORIA EMPIEZA AQUÍ

TU HISTORIA EMPIEZA AQUÍ

_____

_____

_____

_____

_____

_____

_____

_____

_____

_____

_____

_____

_____

_____

_____

_____

_____

_____

_____

_____

_____

_____

_____

_____

TU HISTORIA EMPIEZA AQUÍ

TU HISTORIA EMPIEZA AQUÍ

TU HISTORIA EMPIEZA AQUÍ

TU HISTORIA EMPIEZA AQUÍ

AGRADECIMIENTOS

AGRADECIMIENTOS

AGRADECIMIENTOS
DE
YANELI SOSA

Agradezco infinitamente a Dios por poner este proyecto en mis manos, por darme la oportunidad de coincidir con estas 25 mujeres hermosas que brillan con luz propia y de las que he aprendido tanto. Gracias chicas por su confianza. Gracias a las personas que Dios puso en mi camino para que este proyecto hoy fuera una realidad.

Le agradezco a Aleyso Bridger y todo el equipo de trabajo de Aurum Books 79 por acoger este proyecto con tanta responsabilidad.

AGRADECIMIENTOS

Gracias a nuestra editora estrella Sigal Ratner-Arias por cuidar cada detalle para que estas historias llegaran a ustedes bien contadas.

Gracias infinitas a Luz María Doria, productora ejecutiva de "Despierta América" de Univision y autora de tres best sellers, por escribir el prólogo brindando así un apoyo inconmensurable para este proyecto.

Gracias de manera muy especial a mis colaboradores Newton, Lourdes y Franco, jóvenes que le dedicaron su tiempo y corazón a este libro.

Gracias a mi familia por creer en mí y motivarme a conquistar cada uno de mis sueños. ¡Ustedes son lo máximo!

Este libro está dedicado a mi hijo Bill Ismael y mis sobrinos Tirson, Wilton, Eliut, Sherlyn, Arolfi, Alison, Alexander, Alany y Paul y a todos ustedes, nuestros familiares y lectores, como muestra de que sí podemos lograr nuestros sueños si nos preparamos y trabajamos por ello.

AGRADECIMIENTOS

Made in the USA
Middletown, DE
15 December 2021

55968805R00126